D0233759

LE CLUB DES BABY-SITTERS

Déjà parus dans la série

1. L'Idée géniale de Kristy
2. Claudia et le visiteur Fantôme
3. Le Secret de Lucy
4. Pas de panique, Mary Anne!
5. Carla et les trois monstres
6. Un grand jour pour Kristy
7. Claudia a des ennuis
8. Lucy est amoureuse
9. Carla et le passage secret
10. Logan aime Mary Anne
11. Kristy et les snobs
12. La Nouvelle Amie de Claudia
13. Au revoir, Lucy!
14. Mallory entre en scène
15. La revanche de Carla
16. Le langage secret de Jessi
17. Mary Anne et la malédiction
18. L'erreur de Lucy
19. Une vengeance pour Claudia
20. Kristy et les champions
21. Le cauchemar de Mallory
22. Les malheurs de Jessica
23. Les vacances de Carla
24. Le cadeau de Kristy
25. Mary Anne cherche son chat
26. Adieu Mimi...
27. Jessica et la star
28. Le retour de Lucy
29. Mallory et la malle mystérieuse
30. Félicitations Mary Anne !
31. Une nouvelle sœur pour Carla
32. Le défi de Kristy
33. D'où viens-tu Claudia ?
34. Mary Anne et les garçons
35. Lucy détective
36. La colère de Jessi
37. Le grand amour de Carla
38. Kristy, je t'aime

Ann M. Martin

Pauvre Mallory !

Traduit de l'américain
par Nouannipha Simon

LE CLUB DES **BABY-SITTERS**

FOLIO JUNIOR/**GALLIMARD** JEUNESSE

Ce livre est pour Bonnie Black,
pour son aide précieuse, merci.

Conception de mise en pages : Aubin Leray

Titre original : Poor Mallory !
Édition originale publiée
par Scholastic Inc., New York, 1990

“ C’était peut-être plus grave que je ne le pensais. Maman avait dû avoir une très mauvaise nouvelle au téléphone. Elle était peut-être malade... ”

Je chantais à tue-tête :

– J’ai un maillot ! Qui me gratte, gratte, gratte. J’ai un maillot ! Qui me gratte, gratte le dos.

Comme je n’avais plus de souffle, je me suis tournée vers Jessi :

– A toi, maintenant !

Elle a aussitôt enchaîné :

– Ça me gratte, gratte, gratte. Ça me gratte de la tête aux pattes. Mon maillot me gratte le dos !

On s’est mises à mimer les gestes de la chanson en essayant de ne pas éclater de rire.

– Oh, ça me gratte ! Il faut que j’me change ! Ça me démange ! Il faut que j’trouve un autre mailloooot, qui ne me gratte pas troooop !

– Waouh ! Tu connais les paroles par cœur maintenant !

– Ça, on peut dire que tes frères t’apprennent

de drôles de chansons! On se demande où ils vont les chercher.

En tout cas, une chose était sûre: la journée était finie. Ouf! Un jour de cours en moins. On était bien contente de quitter le collège.

J'ai oublié de faire les présentations. Moi, je m'appelle Mallory Pike. Et Jessi, c'est ma meilleure amie. Elle s'appelle Jessica, mais tout le monde l'appelle Jessi. On est dans la même classe, en sixième. Après les cours, on fait un bout de chemin ensemble, parce qu'on n'habite pas très loin l'une de l'autre. Au moment de nous quitter, je lui ai demandé si elle voulait venir à la maison cet après-midi.

– Mes frères pourraient t'apprendre d'autres chansons débiles. Il y a en a une sur un type qui fabrique une machine à saucisses. Ça te tente?

– J'aimerais bien venir, mais je dois faire du baby-sitting pour les Johanssen. Je vais garder Charlotte tout l'après-midi. Mais on se retrouvera à la réunion du Club des baby-sitters à cinq heures et demie, d'accord?

– O.K. A ce soir, alors.

Bon, on arrivait à l'endroit où nos chemins se séparent. Jessi s'amuse toujours à faire comme si on ne devait plus jamais se revoir. Elle prend une pose très théâtrale, et me fait ses adieux en déclamant:

– La séparation est douce quand on sait qu'on se reverra un jour.

Et moi, je dois lui demander sur le même ton:

– Mais quand croiserai-je votre chemin ?
– Ben, demain, tiens !
Ça nous fait rire chaque fois ! C'est notre petit jeu à nous.
– Bon, à plus tard !
– A plus tard !
Chacune est partie de son côté. Je me suis mise à fredonner la chanson du type à la machine à saucisses.
– Oh malheur, oh quelle horreur ! Qu'as-tu donc fait là, espèce de scélérat ? Ah franchement, ce n'est pas malin, il ne fallait pas fabriquer cet engin. Plus un chat, plus un chien dans tout le quartier. Plus de bête, plus de tête à caresser. Tous moulinés, tous hachés. Tous transformés en saucisses. Dans ta machine à saucisses !
Je me suis soudain rendu compte de ce que j'étais en train de chanter, beurk ! Je me demande où mes frères peuvent bien avoir appris ce genre de chanson. Je parie que c'est en colonie de vacances.
J'ai accéléré le pas parce que j'étais pressée de rentrer chez moi. Ce n'était plus très loin maintenant. Je vis avec mes parents et mes sept frères et sœurs dans un quartier tranquille de Stonebrook, dans le Connecticut. Notre maison n'est pas très grande, enfin, pour nous tous, je veux dire, parce qu'il ne faut pas oublier qu'on est une famille vraiment nombreuse ! Il y a quatre chambres en tout. Les quatre garçons ont la plus grande, et ils dorment dans des lits superposés. Il y a deux

autres chambres plus petites pour les filles : une que je partage avec Vanessa, et l'autre pour les deux plus jeunes de la famille, Claire et Margot. Bien sûr, mes parents ont leur chambre, mais elle n'est pas très grande non plus. C'est vrai que j'aimerais bien avoir une maison plus spacieuse pour avoir une chambre pour moi toute seule mais, en même temps, cette maison, je l'adore. Quand je l'ai vue au coin de la rue, j'ai couru jusqu'à la porte d'entrée.

– Salut m'man !

J'ai accroché mon blouson au portemanteau de l'entrée. Pas de réponse.

– Maman ? Maman, tu es là ?

C'est Claire qui m'a répondu à la place :

– Elle est en haut !

Claire était dans la cuisine. Comme elle n'a que cinq ans, elle va encore à la maternelle, ce qui fait qu'elle rentre à la maison avant tous les autres. Elle a passé la tête dans l'embrasure de la porte et a ajouté :

– Elle se repose.

Je commençais à m'inquiéter.

– Elle n'est pas malade au moins ?

– Nan. Mais… euh…

– Mais quoi ?

– Ben, quand on est rentrées de l'école, le téléphone a sonné, et elle n'arrêtait pas de dire « oh non…, oh non… » Quand elle a raccroché, elle m'a dit qu'elle avait mal à la tête et elle est montée dans sa chambre.

– Humm… Bon, je vais monter voir ce qui se passe.

D'après ce que Claire venait de m'expliquer, je m'inquiétais déjà moins. Si quelque chose de vraiment horrible était arrivé, si mes grands-parents étaient morts, par exemple, ou si mon père avait eu un accident, maman serait en train de courir partout plutôt que de rester allongée dans sa chambre. Je suis montée la voir. La porte de sa chambre n'était pas fermée, mais j'ai quand même frappé pour la prévenir de mon arrivée.

– Maman ?

– Ah, c'est toi Mallory. Entre ma chérie.

Elle était assise sur son lit, et m'a fait un petit sourire.

– J'allais justement descendre.

– Qu'est-ce qui ne va pas, maman ?

Elle a poussé un grand soupir.

– Je ferais mieux de te le dire après tout. Et il faudra aussi prévenir tes frères et sœurs.

Les prévenir ? Mais de quoi ? C'était peut-être plus grave que je ne le pensais. J'ai repensé à ce que Claire m'avait dit à l'instant. Maman avait dû avoir une très mauvaise nouvelle au téléphone. C'était peut-être son docteur qui avait appelé ? Elle était peut-être malade, et il l'appelait pour lui annoncer que les résultats de ses tests n'étaient pas bons. Mais c'était horrible ! Je n'ai pas pu m'empêcher de crier :

– Tu es malade ?

– Mais non, ma chérie. Ce n'est pas ça du tout.

Je vais t'expliquer ce qui se passe, comme ça, tu pourras m'aider à le dire aux autres, d'accord ?

– D'accord.

– Voilà, c'est au sujet de la société où travaille papa. Tu sais que, ces derniers temps, cela n'allait pas très bien.

J'ai fait oui de la tête. Papa est avocat dans une grande entreprise de Stamford, une ville juste à côté de Stonebrook. Il nous avait effectivement parlé de ses soucis au travail, mais jamais je n'aurais pensé que ça pouvait être aussi grave.

Maman a continué :

– Ce matin, le directeur a annoncé que la moitié des employés allaient être licenciés.

– Tu veux dire qu'ils vont le mettre à la porte ? Ce n'est pas possible, ils ne peuvent pas faire ça à papa !

– Ton père pense que si. Il y avait un paquet de lettres recommandées toutes prêtes à partir.

– Des lettres recommandées ? Pour quoi faire ?

– En général, on annonce les licenciements par lettre recommandée. Tous les employés qui vont se faire renvoyer vont en recevoir une chez eux.

– Mais il n'y en avait pas ce matin au courrier.

– Non, pas ce matin, mais papa pense qu'il va bientôt la recevoir. Tu sais, cela ne fait pas très longtemps qu'il est dans cette entreprise. Il y a des personnes qui sont là depuis beaucoup plus longtemps que lui.

– Je vois ce que tu veux dire, maman. Il n'a pas assez d'ancienneté, c'est ça ?

– C'est ça. Bon, on ferait mieux de descendre maintenant. Je crois que les autres sont rentrés, on les entend d'ici.

– Oui, vu le boucan, je suis sûre que les triplés sont de retour.

J'avais raison, les triplés étaient rentrés; les autres aussi d'ailleurs. Ils étaient tous dans la cuisine en train de se préparer un goûter. Je vous brosse le tableau: il y avait Byron, Jordan et Adam (dix ans) en train de se faire des tartines de confiture. Vanessa (neuf ans) se coupait une part de gâteau. Nicky, Margot et Claire (huit, sept et cinq ans) finissaient un paquet de cookies. Moi, après ce que maman venait de m'apprendre, je vous avoue que je n'avais pas très faim. Nous sommes allées nous asseoir avec eux, et maman a dit:

– Les enfants ?

Byron a levé la tête de son bol de chocolat.

– Ouais ?

Adam embêtait Nicky et le faisait tellement rire qu'il a failli avaler son lait de travers. Maman a attendu qu'ils se calment.

– Les enfants. Ce que j'ai à vous dire est sérieux, j'aimerais bien que vous m'écoutiez attentivement.

Ils ont arrêté net de rire et de gigoter. Maman avait l'air vraiment sérieuse. Ils se sont tournés vers elle et l'ont regardée avec des yeux ronds. Elle leur a répété ce qu'elle m'avait expliqué dans sa chambre. J'ai essayé comme j'ai pu de faire comprendre aux plus petits ce qu'elle voulait dire. Vanessa n'avait pas l'air d'y croire.

– Ce n'est pas possible. Papa a un poste important.

– Ouais, c'est vrai, a tout de suite ajouté Jordan. Ils ne peuvent pas le renvoyer.

– C'est quoi une lettre recommandée ? a demandé Claire. Je ne sais pas, moi.

Maman lui a de nouveau expliqué ce que c'était. Elle s'est alors exclamée :

– Mais alors, moi je veux que papa reçoive une lettre recommandée ! Comme ça, il n'aura plus besoin d'aller au bureau, et il pourra rester à la maison. Il aura plein de temps pour jouer avec moi !

Adam a haussé les épaules.

– C'est débile ce que tu dis. Si papa ne travaille plus, on n'aura plus d'argent !

Nicky a continué :

– Ben, oui. Il faut de l'argent pour acheter de quoi manger. Pour acheter des vêtements et tout ça.

Claire commençait à comprendre la situation. Elle n'était plus contente du tout, et avait l'air tout inquiète. J'ai voulu la rassurer un peu :

– Mais on a des économies à la banque, hein, maman ? On peut toujours se servir de cet argent.

– C'est vrai, a acquiescé ma mère. On a des économies à la banque, mais il n'y a pas beaucoup d'argent sur ce compte. On va vite le dépenser. Il y a des factures à payer tous les mois, et il faut nourrir dix personnes tous les jours. Et puis, c'était de l'argent qui devait servir à payer vos études.

On s'est tous regardé sans trop savoir quoi dire. Jordan a finalement murmuré :

– Mais papa ne va peut-être pas perdre son travail.

Je me suis tournée vers maman et je lui ai dit :

– C'est vrai, on n'en sait rien encore. Il est plus de trois heures et demie maintenant, presque quatre heures, tu ne crois pas que papa le saurait déjà ?

Maman a haussé les épaules en soupirant.

– Pas forcément.

– Mais, papa a un travail important, non ?

C'était Vanessa qui n'arrivait pas à comprendre comment on pouvait renvoyer quelqu'un qui occupait un poste à responsabilités. Maman a répondu :

– Ce n'est pas le seul dans sa société à avoir un poste important, et il n'est pas irremplaçable. En plus, les autres avocats sont là depuis beaucoup plus longtemps que lui. Écoutez les enfants, je n'ai pas plus envie que vous que votre père soit au chômage, j'essaie juste de vous préparer à la situation. On verra quand il rentrera à la maison ce soir.

– Si papa perd son travail, qu'est-ce qui va changer ?

Claire avait l'air pensive, mais maman a tout de suite enchaîné :

– Il faudra qu'on fasse attention aux dépenses. On ne pourra plus se permettre d'acheter n'importe quoi, et on ne pourra plus partir en vacances. Papa restera à la maison et il cherchera un autre travail. Il ne sera pas toujours de bonne humeur.

– Pourquoi ? a demandé Margot.

– Parce que ce n'est pas facile de trouver un travail quand on vient de se faire renvoyer. Il va passer des entretiens et il ne sera pas forcément embauché. Il sera peut-être obligé de postuler pour des emplois moins importants, qu'il n'aura même pas. Il va devoir passer des tas de coups de fil pour s'entendre dire qu'il n'y a pas de travail pour lui. C'est un peu comme si vous alliez chez des copains à vous et qu'ils vous répondent qu'ils ne veulent pas jouer avec vous.

– Oooh, d'accord, a murmuré Claire.

Elle venait enfin de comprendre. Je crois que Margot aussi venait de comprendre, elle avait l'air toute triste. Maman s'est levée.

– Bon, ce n'est pas la peine de trop s'inquiéter. Il ne va peut-être rien se passer après tout. Papa va peut-être rentrer gai comme un pinson ce soir. Mais je voulais que soyez préparés au cas où il ne le serait pas.

– D'accord, avons-nous tous répondu en chœur.

Je suis allée dans ma chambre. J'avais besoin de m'isoler un peu pour réfléchir. Qu'est-ce que maman voulait dire par « faire attention aux dépenses » ? Qu'est-ce qu'on ne pourrait plus acheter ? De nouveaux vêtements, par exemple ? Et comment on allait faire quand nos vêtements deviendraient trop petits ? On peut toujours faire passer les vêtements des plus grands aux plus petits, mais qu'est-ce que je ferai, moi ? Je suis l'aînée de la famille, et il n'y a personne pour me donner ses vêtements trop petits. Et au supermarché ? Qu'est-ce qu'on ne pourrait plus acheter ? Des glaces et des biscuits certainement, enfin, tous les trucs qu'on aime bien. Je me demandais si on allait avoir des bons d'achat de l'aide sociale. J'en avais déjà entendu parler, mais je ne savais pas vraiment ce que c'était, et comment ça marchait. Je savais juste qu'on les donnait aux familles pauvres pour les aider.

Il fallait absolument que je parle à Jessica. C'est ma meilleure amie, et je lui raconte tout. J'étais sûre qu'elle m'aiderait à réfléchir à tout ça. Malheureusement, elle était en train de garder Charlotte. Je pouvais l'appeler chez les Johanssen, mais j'hésitais parce que je ne voulais pas la déranger. On prend notre travail de baby-sitter très au sérieux et, normalement, on ne s'appelle jamais pendant nos gardes mais, là, je crois que c'était vraiment une urgence.

“– Je suis vraiment inquiète. C’est déjà terrible de perdre son travail mais, en plus, mon père doit nourrir huit enfants, et un hamster.”

2

Je suis allée dans la chambre de mes parents pour téléphoner. Je me suis installée dans le fauteuil, puis j’ai composé le numéro des Johanssen. C’est Jessica qui a répondu :

– Bonjour, vous êtes bien chez les Johanssen.

– Salut Jessi, c’est moi, Mallory.

A ma voix, elle a dû comprendre que ça n’allait pas.

– Qu’est-ce qui se passe, Mal ? Il y a un problème ?

– Ma mère est très inquiète. Elle est presque sûre que papa va perdre son travail.

– Perdre son travail ? Ton père ?

Jessi était sous le choc autant que moi. Je lui ai expliqué ce qui se passait dans l’entreprise où travaille papa.

Et puis, je me suis rappelé :

– Au fait, excuse-moi de te déranger pendant ton baby-sitting.

– Oh, c'est bon, ce n'est pas grave. Charlotte est en train de faire ses devoirs. Elle n'a pas besoin d'aide, comme tu t'en doutes.

Charlotte est très intelligente, elle a un an d'avance à l'école, et elle est quand même la première de sa classe. C'est pour ça que Jessica n'avait pas besoin de l'aider. Elle avait donc un instant à me consacrer.

– Je suis vraiment inquiète. C'est déjà terrible de perdre son travail mais, en plus, mon père doit nourrir huit enfants, et un hamster.

– Écoute, je sais que c'est facile pour moi de dire ça, mais ton père ne va peut-être pas être renvoyé. Tu t'en fais peut-être pour rien.

– C'est ce que je n'arrête pas de me dire, mais…

J'ai poussé un grand soupir, puis j'ai ajouté :

– Bon, il faut que je te laisse maintenant. On se voit ce soir à la réunion du club. Salut.

Après avoir raccroché, je suis retournée dans ma chambre. Je me suis allongée sur mon lit et j'ai essayé de ne plus y penser. Je ne voulais pas rejoindre les autres en bas parce que j'avais vraiment besoin d'être seule. J'espérais que Vanessa n'allait pas monter. C'est sa chambre aussi, je ne pouvais pas l'empêcher de venir. Mais elle sent souvent quand j'ai besoin de rester seule, sans que je lui dise quoi que ce soit, et elle me laisse tranquille.

J'ai fermé les yeux, et j'ai pensé à Jessica et aux autres membres du Club des baby-sitters. Ce sont toutes mes amies et, si papa perdait son travail, j'aurais vraiment besoin d'elles. Il faudrait qu'elles me soutiennent, et je savais qu'elles le feraient. On est toujours là les unes pour les autres dans les moments durs, comme quand la grand-mère de Claudia est morte ou quand les parents de Lucy ont divorcé.

Il faut que je vous en dise plus sur mes amies. Je vais commencer par Jessica puisque c'est ma meilleure amie. On se ressemble beaucoup. D'abord, on a toutes les deux onze ans. Et on est les plus jeunes du club. Les autres ont toutes treize ans et sont en quatrième. Ensuite, on est toutes les deux les aînées de nos familles, sauf que Jessica n'a pas autant de frères et sœurs que moi. Ils ne sont que trois, elle, Becca (en fait, Rebecca) qui a huit ans, et P'tit Bout, qui est encore un bébé, et qui s'appelle en vrai John Philip. On a beau être les aînées, on est d'accord pour dire que nos parents nous traitent encore comme des bébés. Claudia nous dit toujours que onze ans est un âge particulièrement difficile parce que les parents ne réalisent pas toujours qu'on a grandi et qu'on n'est plus des bébés. Par exemple, on a eu le droit de se faire percer les oreilles, mais je n'ai toujours pas le droit de mettre des lentilles de contact. Du coup, je suis obligée de garder mes lunettes, et je les déteste. En plus, j'ai un appareil dentaire. D'accord, il est en plastique, et il n'est pas trop voyant, mais ce n'est pas comme ça que je vais pouvoir me présenter à un concours de beauté. Hé ! Si papa perd son travail, le dentiste va peut-être être obligé de m'enlever mon appareil ? Je sais que c'est un peu égoïste de ma part de penser à ça maintenant, mais ça vous montre à quel point je déteste porter ce truc-là. A l'école, on continue de m'appeler « dents d'acier », même s'ils devraient plutôt dire « dents-de-plastique ».

Bon, revenons à Jessica. On adore toutes les deux lire, particulièrement les histoires de chevaux de Mary O'Hara. Moi, j'aime aussi écrire et dessiner. Je tiens un journal intime où je note mes pensées les plus secrètes. J'écris également des histoires que j'illustre moi-même. Je voudrais devenir auteur de livres pour enfants. J'ai récemment convaincu Jessica de tenir aussi un journal intime mais, sa vraie grande passion, c'est la danse. Elle danse même sur les pointes ! Elle prend des cours dans une école de Stamford, où elle a dû passer une audition pour être admise. Elle a déjà fait beaucoup de spectacles où elle tenait même le premier rôle.

Ce qui nous différencie le plus Jessica et moi, c'est la couleur de notre peau. Elle est noire et je suis blanche. Cela ne compte pas pour nous, et pour aucun membre du club d'ailleurs. Mais quand les Ramsey ont emménagé ici, certains voisins ont eu une réaction violente. Pour des raisons que je n'arrive pas bien à comprendre, ils ne voulaient pas qu'une famille noire s'installe dans le quartier. C'est vrai qu'il n'y a pas beaucoup de gens de couleur ici, et Jessica est la seule noire de toutes les classes de sixième, mais ce n'est pas une raison pour la rejeter.

Voyons, que dire d'autre sur Jessica ? Elle est jolie, en tout cas, moi, je trouve. Elle a de grands cils recourbés, et les jambes les plus longues que je connaisse. Elle travaille bien à l'école. Elle vit avec ses parents, son frère, sa sœur et sa tante Cécilia. Sa tante vit avec eux depuis que leurs deux parents travaillent ; elle les aide à garder les enfants.

Bon, passons maintenant aux autres membres du Club des baby-sitters. Ah, oui, j'allais oublier de vous dire qu'on a toutes une fonction dans le club. Jessica et moi, on est des membres juniors parce qu'on est encore trop jeunes pour faire du baby-sitting le soir.

La présidente du club, c'est Kristy Parker. Elle a une famille incroyable. Ils sont autant que nous, mais ce n'est pas le plus important. Vous allez comprendre tout de suite : il y a Kristy, sa mère, ses deux grands frères, Charlie et Samuel, son petit frère, David Michael, son beau-père, Jim, sa sœur adoptive, Emily Michelle, et sa grand-mère, Mamie. Un week-end sur deux, la famille s'agrandit avec les deux enfants de Jim, Karen et Andrew, qui ont sept et cinq ans et vivent avec leur mère le reste du temps. Kristy a donc aussi un demi-frère et une demi-sœur.

Son père est parti après la naissance de David

Michael. Ils les a abandonnés. Sa mère a donc dû élever ses quatre enfants toute seule. A cette époque, les Parker vivaient en face de chez Claudia Koshi (la vice-présidente du club), et juste à côté de chez Mary Anne Cook (secrétaire du club et meilleure amie de Kristy). Quand Mme Parker a commencé à avoir des rendez-vous galants – Kristy n'aimait pas du tout ça – elle a rencontré Jim Lelland. Elle est tombée amoureuse de lui, et ils se sont mariés. Jim est un millionnaire, et il habite dans une immense villa à l'autre bout de la ville. Ils ont tous emménagé chez lui. Au début, Kristy n'aimait pas trop Jim, mais ça a changé depuis. Maintenant, elle adore sa nouvelle famille et son nouveau quartier.

Kristy est un vrai garçon manqué et fait beaucoup de sport. Elle entraîne même une équipe de base-ball qui s'appelle les Imbattables. Elle s'habille comme un garçon. Elle porte tout le temps des jeans ou des survêtements, avec un tee-shirt. Elle rajoute un pull quand il fait froid. Elle adore mettre sa vieille casquette avec un colley dessus. Quand je pense que sa mère et son beau-père la laisseraient porter tout ce qu'elle veut ! Mais je crois qu'elle ne fait pas attention à sa façon de s'habiller du moment que c'est confortable. Elle a quand même un petit copain qui s'appelle Bart et qui entraîne aussi une équipe de base-ball : les Invincibles. Il habite dans le nouveau quartier de Kristy, mais il ne vient pas en cours avec nous parce qu'il est dans un collège privé.

Kristy est la plus petite de sa classe, elle est châtain aux yeux marron. C'est aussi le seul membre du club à avoir treize ans et à ne pas encore porter de soutien-gorge. Elle est un peu autoritaire et elle a la langue bien pendue, mais on l'adore tous. Elle est drôle, a toujours plein de bonnes idées, et s'entend super bien avec les enfants.

Comme je vous l'ai dit, Claudia Koshi est vice-présidente du Club des baby-sitters. C'est tout le contraire de Kristy. Elle est aussi sympa, mais elle n'est pas aussi pipelette et, surtout, elle est incroyablement sophistiquée. Elle fait très attention à ses vêtements et le résultat est toujours très chic. Elle porte même des chapeaux. Elle a aussi beaucoup de goût pour accorder les accessoires, qu'elle fabrique d'ailleurs elle-même la plupart du temps. Elle a des bracelets en perles de toutes les couleurs, des colliers avec des petites plumes et des petites roses… Et si vous voyiez ses boucles d'oreilles ! Elle a même deux trous à une oreille. Mes parents ne me laissent porter que des boucles très fines en or, alors que ceux de Claudia la laissent porter ses propres créations. Elle a des grandes créoles, mais elle ne met pas forcément la paire, elle peut très bien mettre un anneau d'un côté et, de l'autre, une boucle en forme de banane avec un brillant tout simple dans le deuxième trou. Au passage, Kristy n'a, bien évidemment, pas les oreilles percées. Mary Anne non plus.

Claudia a beaucoup d'imagination, elle ne fabrique pas seulement ses bijoux, c'est aussi une artiste extrêmement douée. Elle dessine, elle peint, elle sculpte, elle fait des collages... Elle prend aussi parfois des cours de poterie. Une de ses autres activités favorites, c'est de manger des sucreries. Elle adore se gaver de cochonneries mais, comme ses parents le lui interdisent, elle le fait en cachette. Il n'y a pas que ça qu'elle fait en cachette, elle dévore aussi les romans d'Agatha Christie. C'est simple, il y a des barres de chocolat, des paquets de bonbons ou de chips, et des romans policiers cachés un peu partout dans sa chambre.

Claudia a une sœur, Jane, qui est surdouée. Ce qui est un vrai calvaire pour Claudia parce qu'elle n'est pas du tout bonne élève – c'est une catastrophe en orthographe – même si elle est intelligente. Ses professeurs disent qu'elle pourrait avoir de meilleures notes si elle s'appliquait un peu plus. Mais elle, elle dit que ça ne l'intéresse pas d'avoir de meilleures notes. Moi, je crois plutôt qu'elle a peur d'essayer de faire des efforts, parce qu'elle se rendrait compte que, même en faisant des efforts, elle n'arriverait pas à rattraper Jane.

Claudia est américano-japonaise, et elle est super canon. Elle a de longs cheveux noirs qu'elle attache de mille façons. Bien entendu, elle a des tas de pinces et de barrettes de couleurs et de tailles différentes. Elle a des yeux sombres en amande et sa peau est impeccable, malgré toutes les cochonneries qu'elle mange !

Sa meilleure amie, c'est Lucy Mac Douglas, qui est la trésorière du club. Lucy est aussi sophistiquée que Claudia, voire plus. L'autre jour, on parlait de mode, et même Claudia a dit qu'il fallait demander à Lucy parce qu'elle savait mieux que tout le monde ce qu'il fallait porter. C'est normal, elle a grandi à New York ! Elle est venue vivre à Stonebrook au début de la cinquième, parce que son père s'était fait muter dans la région. Mais au bout d'un an à peine, ils ont dû repartir à New York, parce que son père devait à nouveau changer de poste pour son travail. Tous ces changements n'ont pas été très faciles à vivre, surtout pour Lucy et Claudia. Et puis, l'histoire ne s'arrête pas là. C'est à New York que les choses se sont vraiment corsées. Les parents de Lucy ont commencé à ne plus s'entendre et, avant même qu'elle se rende compte de quoi que ce soit, ils ont divorcé. Le pire, c'est que sa mère a voulu revenir vivre à Stonebrook alors que son père devait rester à New York à cause de son travail. Lucy a donc dû choisir entre son père et sa mère. Elle a finalement décidé de vivre avec sa mère, tout en rendant souvent visite à son père. En tout cas, on était super contentes de la voir revenir à Stonebrook. Mais, avec sa mère, elles ont dû chercher une nouvelle maison parce que, entre temps, Jessi et sa famille s'étaient installées là où elles habitaient avant !

Comme je vous le disais, Lucy est aussi jolie et chic que Claudia. Elle est toujours à la dernière mode de New York et, en plus, elle a le droit de se faire friser les cheveux. Ça lui fait de jolies boucles blondes. Elle adore les accessoires. Claudia lui fabrique souvent des boucles d'oreilles qui vont avec ses tenues. Elle se met même du vernis à ongles. Ça, on peut dire qu'elle est chic jusqu'au bout des ongles. Elle est peut-être un peu trop mince. C'est parce que, en plus de tous ses problèmes familiaux, elle a du diabète. C'est une maladie qui fait que son pancréas ne fabrique pas assez d'insuline. Et l'insuline, c'est ce qui contrôle le taux de sucre qu'on a dans le sang. Alors, elle est obligée de se faire elle-même des piqûres d'insuline (aïe ! aïe ! aïe !). Elle doit faire attention à tout ce qu'elle mange, parce qu'elle n'a pas le droit de dépasser un certain nombre de calories par jour. Ça ne doit pas être drôle pour elle ! Il y a des gens qui ont du diabète, mais qui n'ont pas besoin comme elle de faire à ce point attention aux calories et, surtout, qui ne sont pas obligés de se faire des piqûres. Mais, si elle ne fait pas tout ça, elle peut tomber dans le coma. Ces derniers temps, on s'inquiétait un peu pour sa santé parce qu'elle avait tout le temps l'air fatiguée et qu'elle avait maigri, mais je crois que ça va un peu mieux maintenant. Il fallait certainement qu'elle s'habitue à sa nouvelle vie.

Mary Anne Cook et Carla Schafer sont les deux autres membres du club. Mary Anne est notre secrétaire et la meilleure amie de Kristy. On peut dire que Carla est la deuxième meilleure amie de Mary Anne. Carla n'habite pas à Stonebrook depuis très longtemps. Elle vient de Californie ; elle est arrivée en plein milieu de l'année scolaire de cinquième. Ses parents aussi ont divorcé. Son père est resté en Californie, mais elle est venue vivre ici avec sa mère et son petit frère David, parce que sa mère est née ici. Ils ont emménagé dans une vieille ferme où il y a même un passage secret. Carla et Mary Anne se sont rencontrées à l'école, et elles sont très vite devenues amies. Ce qui est arrivé après est complètement incroyable. Un vrai conte de fée. La mère de Carla et le père de Mary Anne se connaissaient déjà parce qu'ils avaient été ensemble au lycée. Et ils étaient même amoureux l'un de l'autre. Quand mes copines ont appris ça, elles ont tout fait pour qu'ils se rencontrent à nouveau, et… elles ont laissé le charme agir. Leurs parents se sont beaucoup vus, et ils ont dû retomber amoureux parce qu'ils ont fini par se marier ! Du coup, Carla et Mary Anne sont devenues demi-sœurs. Ils vivent maintenant tous ensemble – sans oublier Tigrou, le chat de Mary Anne – dans la vieille ferme. Mais – parce qu'il y a quand même un « mais » –, le frère de Carla n'est pas resté avec eux. Il est retourné vivre avec son père en Californie. Il n'arrivait pas à s'adapter à Stonebrook. Il faut dire que ça n'a rien à voir avec la côte Ouest !

Même si Carla et Mary Anne sont amies, elles sont très différentes l'une de l'autre. Mary Anne est timide et réservée. Elle est surtout très sensible et pleure facilement. Elle est aussi très romantique, et c'est le seul membre du club à avoir un petit ami depuis longtemps. Il s'appelle Logan Rinaldi et il vient de Louisville, dans le Kentucky. Il parle d'ailleurs avec l'accent du sud. Il est très drôle et, en plus, il sait comment s'y prendre avec Mary Anne. M. Cook, le père de Mary Anne n'a pas toujours été facile à vivre. Il était super strict avec elle. C'est lui qui décidait comment elle devait s'habiller, par exemple ! Heureusement qu'il est moins sévère maintenant. Mary Anne ne ressemble enfin plus à une petite fille modèle ; elle choisit elle-même ses vêtements et sa coiffure. Et, depuis qu'elle vit avec Carla, elle est plus coquette. Carla lui prête souvent ses affaires. Mary Anne est petite et elle a les cheveux châtains. En fait, elle ressemble à Kristy !

Carla, elle, est aussi jolie que Claudia. Elle a de longs cheveux blonds et des yeux bleus comme l'océan. Elle n'est pas timide du tout, mais elle n'est pas non plus complètement fofolle. Elle a une forte personnalité, c'est tout. Elle ne fait pas attention à ce que les autres peuvent dire ou penser ; elle fait ce qui lui plaît. Par exemple, elle ne cherche pas à savoir ce qui est à la mode ou non, elle porte les vêtements qu'elle aime et dans lesquels elle se sent à l'aise. Mais ce n'est pas non plus comme Kristy qui se fiche de ce qu'elle porte. Carla et sa mère font très attention à ce qu'elles mangent. Elles n'aiment que les choses saines et diététiques, et elles sont végétariennes. On ne fera jamais avaler les cochonneries de Claudia à Carla ! Son alimentation ressemble plutôt à celle de Lucy.

Carla adore les histoires de fantômes. Je ne vous raconte pas comme elle était contente quand on a découvert le passage secret dans sa maison ! La Californie lui manque, bien sûr, ainsi que son père et son frère, mais je crois qu'elle se plaît beaucoup à Stonebrook. Et puis, on est là, nous !

Voilà, je vous ai présenté toutes mes amies. Celles vers qui je me tourne quand ça ne va pas. Et ça n'irait pas très fort si mon père perdait son travail. Mais j'ai décidé que ça n'allait pas arriver. Mes frères et sœurs avaient apparemment pris la même décision.

Bon, courage ! Jessica avait raison, je m'inquiétais sûrement pour rien. De toute façon, il était l'heure d'aller à la réunion du club. Je suis redescendue, j'ai attrapé mon blouson et, avant de partir, j'ai lancé :

– A ce soir tout le monde ! J'espère qu'on aura de bonnes nouvelles au dîner !

– Ne t'en fais pas, m'a répondu Vanessa. Papa ne va jamais se faire renvoyer.

“ – J’ai préféré attendre pour annoncer la nouvelle à tout le monde en même temps, histoire de voir la tête que vous alliez faire. ”

3

Je suis allée chez Claudia à vélo. Les réunions du Club des baby-sitters commencent toujours à cinq heures et demie précises, mais je suis arrivée un peu en avance.

Je suis allée directement dans la chambre de Claudia au premier étage. Je ne me sentais plus triste du tout depuis que j’avais décidé que rien de grave ne pouvait nous arriver.

– Salut, Claudia !

– Salut ! Tu veux grignoter quelque chose ?

– Ouais ! Je veux bien un Mars.

– Pas de problème. Enfin… si j’arrive à me rappeler où je les ai cachés.

– Regarde dans ton pot à crayons.

– Non, ils ne tiennent pas dedans. C’est juste pour les bonbons. Mais attends…

Elle a fouillé dans le tiroir de sa commode jusqu'à ce qu'elle trouve une clé. Elle a alors ouvert une petite boîte à bijoux.

– Voilà ! Je savais bien que c'était là-dedans. Tiens.

– Mais comment fais-tu pour faire tenir des Mars et des bijoux dans une boîte aussi petite ?

– J'ai dû enlever mes bijoux. Je les range ailleurs maintenant. Je me demande bien où, d'ailleurs… Ah, oui ! Dans ma trousse à maquillage, bien sûr.

J'ai failli lui demander où elle avait bien pu mettre tout son maquillage, mais je me suis retenue. On ne s'en sort plus avec Claudia si on commence à essayer de comprendre son système de rangement. C'est tellement compliqué !

Les autres ont commencé à arriver petit à petit. A cinq heures vingt-neuf, Kristy était installée dans son fauteuil de présidente, face à nous. Elle avait son éternelle casquette, un crayon coincé sur l'oreille, et attendait l'heure précise pour annoncer l'ouverture de la réunion. Lucy était assise au bureau de Claudia, qui était en tailleur sur son lit. Mary Anne était à côté d'elle. Jessica et moi, nous étions comme d'habitude assises par terre, contre le lit. Kristy avait maintenant les yeux fixés sur le réveil de Claudia. A cinq heures trente pile, elle a ouvert le carnet de bord qui était sur ses genoux, s'est éclairci la voix, et a annoncé :

– Votre attention s'il vous plaît, la séance du jour est ouverte. Quelque chose à signaler ?

Comme vous l'avez sûrement deviné, la chambre de Claudia est notre quartier général. C'est là que se tiennent toutes les réunions du Club des baby-sitters. On s'y retrouve trois fois par semaine : le lundi, le mercredi et le vendredi de cinq heures et demie à six heures. C'est à ces moments-là qu'on reçoit les appels des parents qui ont besoin de baby-sitters. Comment les gens ont-ils su quand et comment nous joindre ? C'est simple, on a fait de la publicité. Je vais tout vous expliquer plus en détail.

Au départ, l'idée de créer un club de baby-sitters vient de Kristy. Ça remonte à un peu plus d'un an, quand Lucy est venue vivre à Stonebrook. La mère de Kristy n'était pas encore mariée à Jim, et la famille Parker habitait encore dans le quartier. Kristy et ses grands frères devaient à tour de rôle s'occuper de David Michael après les cours jusqu'à ce que leur mère rentre du travail. Le problème, c'est que, un jour, aucun des trois n'a pu le garder. Mme Parker a dû chercher quelqu'un pour les remplacer, et elle a passé un tas de coups de fil sans trouver personne de disponible. C'est là que Kristy a eu une idée géniale. Elle s'est dit que sa mère aurait perdu beaucoup moins de temps si elle avait pu, en un seul coup de fil, joindre toute une équipe de baby-sitters. Il suffisait d'y penser ! Elle a alors demandé à Claudia et à Mary Anne si elles voulaient créer un club de baby-sitters avec elle. Aussitôt dit, aussitôt fait. Mais elles se sont dit qu'il fallait être au moins quatre dans l'équipe. Alors, elles ont proposé à Lucy de se joindre à elles. Claudia venait de faire sa connaissance à l'école, et elles étaient déjà très copines.

Après, il a fallu tout organiser. D'abord, elles ont dû se mettre d'accord sur les jours et le lieu des réunions. Tout le monde était d'accord pour dire que la chambre de Claudia était le meilleur endroit pour ça. C'était la seule à avoir sa propre ligne de téléphone. C'était pratique pour centraliser les appels des clients. Ensuite, elles ont fait une campagne de publicité pour se faire connaître dans le quartier. Elles ont même passé une petite annonce dans le journal local ! C'est donc comme ça que tout a commencé. Il y a eu des appels dès la première réunion du club. Il y en a même eu un pour garder un chien ! Je ne vous raconte pas l'histoire… Les affaires marchaient tellement bien que, quelques mois plus tard, quand Carla est venue vivre à Stonebrook, les filles l'ont embauchée. Au début de l'année de quatrième (de sixième en fait, pour Jessica et moi), Lucy est repartie à New York. Comme il n'y avait plus que quatre membres au Club des baby-sitters, Kristy, Claudia, Mary Anne et Carla nous ont demandé de faire partie de l'équipe, à Jessica et à moi. Quand Lucy est revenue après le divorce de ses parents, elle a tout naturellement repris sa place dans le club. Il y avait largement assez de travail pour tout le monde ! Maintenant, avec sept membres, je crois qu'on est au complet. En tout cas, on ne pourrait pas tenir à plus dans la chambre de Claudia.

C'est Kristy qui préside toutes les réunions. C'est aussi elle qui a organisé le fonctionnement du club. Elle est très douée pour ça parce qu'elle a toujours de bonnes idées. Par exemple, c'est elle qui a eu l'idée de l'agenda, du journal de bord et des coffres à jouets. Le journal de bord est un cahier dans lequel chacune de nous doit raconter ses baby-sittings. Je dois vous avouer que je trouve ça pénible, mais c'est vrai aussi que c'est drôlement pratique. Comme on doit toutes le lire régulièrement, ça nous permet de mieux connaître les enfants qu'on garde. C'est toujours utile de savoir si un enfant a des problèmes à l'école, ou si quelque chose vient de changer dans sa vie, parce que ça explique souvent son comportement. En échangeant nos expériences, on sait mieux comment faire face à certaines situations.

Quant aux coffres à jouets, chacune de nous en a fabriqué un. Le mien est super. Le principe est simple : c'est une boîte de carton qu'on a décorée avec de la feutrine, des paillettes et plein de trucs rigolos qu'on a trouvés dans le matériel de Claudia. Dans la boîte, on met nos vieux jouets, des livres qu'on aime bien, des jeux, des crayons de couleur, des feutres, du papier à dessin, des albums de coloriage, des gommettes, enfin, tout ce qui peut nous servir à distraire les enfants. On prend souvent nos coffres à jouets quand on va faire une garde, et les enfants les adorent. Ils ne font pas la différence entre des jouets neufs et des jouets qui ont déjà servi. Tant que c'est la première fois qu'ils jouent avec, c'est comme s'ils étaient neufs. C'est un peu grâce à nos coffres à jouets qu'on a eu autant de succès.

Voilà, tout ça pour vous montrer que Kristy a des idées de génie, et qu'elle mérite largement son rôle de présidente du club.

Claudia est la vice-présidente, principalement parce que les réunions se tiennent dans sa chambre. Il faut dire qu'on l'envahit trois fois par semaine, qu'on se sert de son téléphone et que, en plus, on dévalise ses stocks de sucreries. Comme les appels arrivent chez elle, elle se retrouve à faire la standardiste et à tout planifier toute seule quand quelqu'un téléphone en dehors des réunions. Ça arrive parfois, même si c'est rare.

Mais la personne qui s'occupe vraiment du planning des baby-sittings, c'est Mary Anne. C'est la secrétaire officielle de notre club. C'est elle qui a la dure tâche de tenir l'agenda à jour, de noter toutes les adresses et les numéros de téléphone de nos clients, l'argent que nous gagnons à chaque fois et, le plus important, le calendrier des gardes. Quand quelqu'un appelle pour fixer un baby-sitting, Mary Anne consulte l'agenda pour voir qui est disponible. C'est un travail très délicat, parce qu'il faut bien faire attention aux emplois du temps de chacune d'entre nous. Entre les cours de danse de Jessica, mes rendez-vous chez l'orthodontiste et les matchs et les entraînements des Imbattables de Kristy, il ne faut pas se mélanger les pinceaux ! Heureusement, Mary Anne est la personne idéale pour s'occuper de ça, elle est organisée et méticuleuse. En plus, c'est elle qui a la plus jolie écriture.

Lucy est notre trésorière. Elle tient les comptes pour chacune d'entre nous. Comme ça, on sait toujours combien on a gagné par semaine ou par mois. On ne partage pas l'argent des baby-sittings, chacune garde ce qu'elle a gagné, mais on verse une petite cotisation dans la caisse du club toutes les semaines. Lucy fait la collecte tous les lundis et met tout ça dans une grande enveloppe de papier kraft. C'est notre trésorerie. Ça nous sert à payer Charlie, par exemple, pour qu'il conduise Kristy chez Claudia trois fois par semaine. En effet, depuis qu'elle a déménagé, elle est obligée de traverser toute la ville pour venir aux réunions, et c'est plus pratique si son frère l'amène en voiture. L'argent de la caisse sert aussi à payer une partie de la note de téléphone de Claudia, à acheter de quoi renouveler les coffres à jouets, et aussi à faire des trucs sympa ensemble, comme des soirées pyjama ou des petites fêtes du club. Lucy gère très bien nos dépenses. Il faut dire qu'elle est bonne en maths (ça aide), et qu'elle est économe. Un peu trop même. C'est parfois difficile de lui faire dépenser de l'argent, même si c'est celui du club et pas le sien. Heureusement, on arrive toujours à la convaincre.

Carla est membre suppléant du club. Ça veut dire qu'elle doit pouvoir prendre la place de n'importe laquelle d'entre nous si on manque une réunion. C'est un peu comme une remplaçante dans une équipe de basket. Par exemple, si Mary Anne ne peut pas venir un jour, c'est Carla qui doit s'occuper du planning. Et si c'est Lucy qui n'est pas là, elle tient la trésorerie. Mais, en fait, on n'est presque jamais absentes. Alors, la plupart du temps, on laisse Carla répondre au téléphone.

Jessi et moi, nous sommes des membres juniors. C'est pour ça qu'on n'a pas de fonction officielle. Comme on est encore trop jeunes, on ne peut pas faire de baby-sitting le soir sauf, bien sûr, si c'est chez nous pour nos frères et sœurs. Mais heureusement qu'on est là. Il y a tellement de demandes dans la journée que les autres ne pourraient pas s'en sortir sans nous.

Je vous ai dit que le club comptait sept membres mais, en fait, ce n'est pas tout à fait exact. Il y en a deux autres. Je ne vous en avais pas parlé parce qu'ils n'assistent pas aux réunions. Ce sont des membres intérimaires, et on ne les appelle que quand on est débordées. Et ça arrive régulièrement ! Il faut donc que je vous dise deux mots sur Louisa Kilbourne et Logan Rinaldi. Louisa est une voisine de Kristy, et Logan, c'est… le petit ami de Mary Anne !

Vous vous rappelez ? Je vous en ai parlé tout à l'heure.

Revenons-en à la réunion du jour. Je me suis rendu compte que, en faisant des efforts, je pouvais presque oublier mes soucis. J'ai essayé de ne penser qu'à ce qui se disait pendant la réunion.

– Quoi de neuf ? a demandé Kristy.

– Jenny Prezzioso va être grande sœur !

On aurait dit que Carla n'attendait que cette question pour nous annoncer la nouvelle. Elle devait le savoir depuis lundi soir, quand elle avait fait sa garde chez les Prezzioso, et ça n'avait pas dû être facile pour elle de tenir sa langue jusque-là.

– Mme Prezzioso est enceinte, et tu ne m'as rien dit !

Mary Anne était un peu déçue que Carla ne lui en ait même pas parlé avant. Après tout, c'est sa demi-sœur et, en plus, c'est la seule à pouvoir supporter Jenny. C'est une petite fille de quatre ans vraiment trop gâtée. Personne n'aime la garder parce qu'elle est très capricieuse. Je me suis demandé comment elle allait réagir avec l'arrivée d'un petit frère ou d'une petite sœur. Il faudrait qu'elle partage tout : ses jouets, sa maison et surtout… ses parents.

– J'ai préféré attendre pour annoncer la nouvelle à tout le monde en même temps, histoire de voir la tête que vous alliez faire. Et je vous assure, ça vaut le coup ! Et vous savez quoi ? Ils savent déjà si c'est un garçon ou une fille. Ils ont fait le test. Et ça va être…

Je l'ai coupée dans sa lancée :

– Ne dis rien ! Je préfère avoir la surprise. Je ne sais pas pour vous mais, moi, je préfère attendre.

Les autres étaient d'accord avec moi, sauf Mary Anne.

– Je te le dirai ce soir, d'accord ? lui a promis Carla.

Mary Anne s'est alors résignée à attendre jusque-là.

Le téléphone a sonné. Carla a décroché :

– Allô, vous êtes bien au Club des baby-sitters... Oh ! Bonjour... Pour tout un mois ? Attendez un instant, je vais vérifier avec Mary Anne et je vous rappelle. (Elle a raccroché.) C'était Mme Delaney.

Les Delaney habitent dans le nouveau quartier de Kristy, juste à côté de chez Louisa. Ils ont deux enfants : Amanda, qui a huit ans, et Max, qui en a six. Kristy les appelait « les snobs », parce qu'ils étaient super autoritaires et qu'ils nous prenaient de haut quand on a commencé à les garder. Mais maintenant, elle a changé d'avis. Elle sait comment les prendre, et tout se passe bien.

Carla nous a expliqué ce que Mme Delaney voulait :

– Elle veut recommencer à travailler. Alors elle prend des cours de remise à niveau pour entrer chez un agent immobilier. Elle a besoin d'une baby-sitter le lundi, mercredi et vendredi de trois heures et demie à cinq heures pendant tout le mois prochain.

Mary Anne a aussitôt ouvert l'agenda.

– Waouh ! Ça ne va pas être facile à organiser. Voyons voir… Tiens, Mallory, tu pourrais le faire… et toi aussi, Kristy.

– Vas-y, Kristy. Je te laisse volontiers la place. En plus, tu habites à côté de chez eux. Ça sera plus pratique.

C'est donc Kristy qui a accepté ce travail. Je savais qu'elle trouvait que cette réunion avait été particulièrement réussie.

“– Bon. Je voudrais faire une réunion générale du club des Pike.
Le visage de Claire s’est éclairé. Elle n’avait qu’une seule envie, c’était de faire partie du Club des baby-sitters.”

Une fois la réunion terminée, je suis repartie avec Jessica. Pendant qu’on détachait nos vélos, elle m’a murmuré :

– Tu as envie de parler un peu ?

– Non, ça va, merci.

Je savais que je pouvais compter sur Jessi. Elle n’avait rien dit aux autres pendant la réunion. Elle me connaît tellement bien que je n’ai pas eu besoin de lui demander de garder ça pour elle. Avant de la quitter, je lui ai dit :

– Je t’appelle ce soir pour te tenir au courant. Papa sera certainement déjà rentré quand j’arriverai à la maison.

– D’accord. Je croise les doigts en attendant. Je suis sûre que ce sera une bonne nouvelle. A plus tard !

– A tout à l’heure au téléphone.

On est parties chacune de notre côté. Je n'arrêtais pas de me dire que ça ne pouvait être qu'une bonne nouvelle. « Bonne nouvelle, bonne nouvelle, bonne nouvelle. » Ces deux mots bourdonnaient dans ma tête. Comme j'approchais de la maison, j'ai accéléré. « Bonnenouvelle, bonnenouvelle, bonnenouvelle. » De plus en plus vite. En arrivant devant chez moi, j'ai failli rentrer dans la voiture de papa tellement j'allais vite.

Il fallait que je me calme. Je me suis arrêtée, et j'ai soufflé. Ne surtout pas paniquer. Je suis rentrée chez moi par la porte du garage. Au soussol, la salle de jeu était vide et il n'y avait pas un bruit, alors je me suis précipitée au rez-de-chaussée. Tout le monde était dans le salon, et personne ne parlait. Je n'ai pas eu besoin de leur demander ce qui se passait, on voyait sur leur visage qu'ils venaient d'apprendre une mauvaise nouvelle. J'ai regardé mon père, et j'ai essayé de lui sourire. Il m'a seulement dit :

– Je suis désolé.

– Ce n'est pas de ta faute. Tu n'y es pour rien.

Claire était assise par terre et elle jouait avec les cheveux de Vanessa. Elle m'a annoncé d'une voix triste :

– On a reçu la lettre recommandée. Le facteur est passé à cinq heures pour la déposer.

J'ai explosé de colère :

– C'est vraiment nul de leur part ! Ils auraient pu te le dire plus tôt au lieu de te faire attendre tout l'après-midi. Ils auraient très bien pu te l'annoncer ce matin ! Ils croient que les gens n'ont que ça à faire ? Se demander toute la journée ce qui va leur tomber dessus ?

– Je ne sais pas, a soupiré papa. Peut-être qu'ils ne savaient pas encore qui allait rester et qui allait devoir partir. Tu sais, ce ne sont pas des décisions qu'on prend à la légère.

– Eh bien moi, je continue de penser que les patrons de ton entreprise ne sont pas très compétents, sinon, ils s'y seraient pris autrement.

– Bon, a dit papa d'un air fatigué. J'ai perdu mon travail, soit. Ce n'est pas la peine d'insister. Je n'ai pas envie d'en parler toute la soirée non plus.

– D'accord. Excuse-moi.

Il avait l'air de mauvaise humeur. Il valait mieux ne pas en rajouter. Je ne savais plus quoi dire de toute façon. D'habitude, mes parents ne s'énervent jamais comme ça. Ça nous arrive à nous, les enfants, mais jamais à eux. Surtout mon père. Il est tellement calme et patient.

– Allez, est intervenue maman. On va descendre dîner.

– On peut manger ? Il vaudrait peut-être mieux économiser nos réserves, on risque d'en avoir besoin, non ?

C'était Nicky, et il ne plaisantait pas. Il pensait vraiment ce qu'il venait de dire. Je crois que ça a achevé papa.

– N'exagérons rien. On n'est pas dans la misère non plus !

On est tous descendus dans la cuisine pour le repas.

– Ça veut dire quoi « danlasère » ? m'a chuchoté Claire.

La pauvre, elle parlait tout doucement pour ne pas que papa l'entende. Elle se rendait bien compte que ce n'était pas le moment de demander des explications.

– « Dans la misère », c'est quand on est très pauvre.

– Très, très pauvre ?

– Oui, très très pauvre. Mais ce n'est pas notre cas. (« Enfin, pas encore », me suis-je dit.) Il ne faut pas t'inquiéter, d'accord ?

– D'accord.

Le dîner a été particulièrement sinistre, comme vous pouvez l'imaginer. Personne ne savait quoi dire. Alors, au début, tout le monde se taisait. Heureusement, maman a rompu le silence. C'est bien parfois d'avoir une mère qui dit ce qu'elle pense, même si ce n'est pas toujours drôle.

– Bon. On lève le nez de son assiette et on m'écoute.

On aurait dit une maîtresse d'école. Mais je crois qu'elle voulait surtout qu'on arrête d'avoir l'air abattu. On l'a tous regardée, même papa. Elle a continué :

– On a un problème…

– Un peu, ouais, a murmuré Jordan.

– Je préfère ne pas relever ça, Jordan. On a un problème, mais on est une famille unie.

– *Famille nombreuse, famille heureuse*…, s'est mis à chantonner Jordan.

– Jordan ! a crié papa.

Il n'a pas eu besoin d'en dire plus. Jordan a arrêté de faire l'andouille.

– On est une famille, a répété maman. Une famille unie. Si on se serre les coudes, tout ira bien. Vous comprenez ce que je veux dire ?

– Ça veut dire qu'on doit rester tout le temps ensemble ? a demandé Margot.

– Ce n'est pas exactement ce que je voulais dire. Quand je dis qu'on va devoir se serrer les coudes, ça signifie qu'il va falloir que tout le monde fasse des efforts, parce que ce ne sera pas facile tous les jours. Les choses vont devoir changer un peu, enfin, jusqu'à ce que votre père retrouve du travail. Tout d'abord : plus d'extra. Par exemple, plus de nouveaux vêtements, sauf si on ne peut pas faire autrement. Vous demanderez gentiment à vos frères et sœurs de vous prêter les leurs. Plus de nouveaux jouets non plus, parce qu'on en a déjà plein la maison. Et surtout, quand papa et moi nous ferons les courses, on ne veut pas entendre de réclamations.

Je le savais. C'était la fin des sucreries et des douceurs.

– Une chose encore. Je vais reprendre un travail.

– Tu vas aller travailler, toi ?

Adam écarquillait les yeux. Cette idée le dépassait complètement.

– Oui, je vais travailler. Je sais taper à la

machine et me servir d'un ordinateur, alors je vais m'inscrire à une agence de travail intérimaire. Ça veut dire que je ne travaillerai pas tout le temps, et que ce ne sera pas un emploi définitif. L'agence m'appellera quand elle aura besoin de moi et m'enverra faire des remplacements. Donc, Mallory, les jours où je travaillerai, et où ton père devra se déplacer pour chercher du travail, il faudra que tu gardes tes frères et sœurs gratuitement. Tu comprends ?

– Bien sûr, maman.

J'étais contente de pouvoir les aider d'une façon ou d'une autre.

– Une dernière chose, a ajouté maman. Ce n'est pas amusant pour moi de vous dire ça, mais vous n'aurez plus d'argent de poche jusqu'à ce que la situation s'améliore. On ne doit dépenser que le strict nécessaire.

– Plus d'argent de poche ? Ouch ! a murmuré Byron.

– Je suis désolée, les enfants.

– Ce n'est pas si grave, s'est aussitôt repris mon frère.

Papa n'avait pas dit un seul mot, sauf pour crier après Jordan. Je l'ai regardé, et il avait l'air en colère. Pourquoi ? Je n'arrivais pas à comprendre. Je trouvais qu'on avait tous été très attentifs à ce que maman avait dit et qu'on montrait beaucoup de bonne volonté. Maman allait chercher du travail et j'avais dit que je voulais bien faire du baby-sitting gratuitement. D'autant plus que j'allais être seule à garder les enfants alors que, d'habitude, maman préfère qu'on soit deux baby-sitters à la maison. Et les petits n'avaient même pas râlé quand ils avaient appris qu'ils n'auraient plus d'argent de poche. J'aurais plutôt cru que papa serait fier de nous, ou qu'il serait soulagé de voir qu'on était prêt à se serrer les coudes, mais il n'avait l'air ni fier, ni soulagé. Du coup, je ne savais plus quoi penser.

– Les enfants ?

J'étais tellement perdue dans mes pensées que j'ai sursauté quand papa a ouvert la bouche.

– Oui ? avons-nous répondu en chœur.

– C'est moi qui m'occuperai de la maison quand maman sera au… au travail.

On aurait dit que les mots lui restaient en travers de la gorge. Il a continué d'un ton bourru :

– Et je veux que tout le monde m'écoute et soit sage.

Pourquoi on ne serait pas sages ? Je ne comprenais pas pourquoi il disait ça.

– Je ne travaillerai que quelques jours par semaine, a aussitôt dit maman, comme si elle s'excusait.

– C'est vrai, a enchaîné sèchement papa.

Claire était assise à côté de moi, et je sentais qu'elle commençait à se tortiller dans tous les sens. Je lui ai donné un coup de coude pour lui faire comprendre qu'elle devait arrêter. On allait devoir être sages comme des images pour ne pas décevoir papa.

J'avais peur de ne pas être à la hauteur…

Quand le dîner a enfin été terminé, au lieu de se disperser dans toute la maison, on est restés dans la cuisine pour débarrasser la table et faire la vaisselle. On est montés dans nos chambres seulement après. Papa et maman sont restés en bas.

J'ai attendu d'être dans le couloir et d'être sûre qu'ils ne pouvaient plus nous entendre, pour dire à mes frères et sœurs :

– Écoutez-moi tous. Venez dans ma chambre une minute.

Je les ai regardés un par un. Ils avaient tous l'air abattu.

– Bon. Je voudrais faire une réunion générale du club des Pike.

Le visage de Claire s'est soudain éclairé. Elle n'avait qu'une seule envie, c'était de faire partie du Club des baby-sitters. Elle a alors demandé, intriguée :

– C'est quoi, le club des Pike ?

– C'est nous ! Nous huit. Et on fera des réunions pour parler de choses et d'autres tout le temps que papa sera au chômage.

– Pour parler de quoi ? a demandé Nicky.

– Eh bien, par exemple on pourra discuter pour savoir comment économiser un peu d'argent. On peut aussi dire ce qui nous tracasse.

J'essayais d'être la plus naturelle possible, mais je savais qu'on avait tous les mêmes craintes, même si on n'en avait pas encore parlé.

Margot a alors dit d'une toute petite voix :

– J'ai peur de papa. Il a crié ce soir. Et il avait l'air d'être en colère après maman aussi.

– Je ne crois pas qu'il soit vraiment en colère après maman. C'est vrai qu'il a parlé un peu fort ce soir, mais je crois qu'il s'en veut beaucoup à lui-même, même s'il ne devrait pas.

– Bon, a enchaîné Byron. Si on pensait à des façons d'économiser de l'argent ?

– C'est vrai ! a crié Nicky enthousiaste. On pourrait déjà faire attention aux lumières, et ne pas laisser de lampes allumées quand on n'en a pas besoin.

– C'est une bonne idée, lui ai-je répondu en souriant. Je suis sûre qu'on peut faire baisser la note d'électricité si on fait plus attention. On laisse souvent les lumières allumées pour rien, ou alors on oublie d'éteindre la chaîne hi-fi. On n'a qu'à regarder moins souvent la télé, et utiliser moins souvent les radios.

Et Vanessa s'est empressée d'ajouter :

– On pourrait aussi s'essuyer les mains avec les serviettes de toilette ou les torchons au lieu d'utiliser de l'essuie-tout. Comme ça, on n'aura plus besoin d'en acheter !

Claire a renchéri :

– Et on peut aussi prendre un seul Kleenex au lieu de deux pour se moucher.

J'étais fière de mes petits frères et sœurs.

– Vous avez de super idées. Vous voyez ce que ça donne quand on se réunit ? Et je suis sûre que le club des Pike ne va pas s'arrêter là. On va encore trouver plein d'autres idées.

Ils avaient tous l'air plus gais. Je me sentais mieux aussi. Maman avait raison, on est une vraie famille.

La première réunion du club des Pike n'a pas duré plus de dix minutes. On avait tous des devoirs à faire. Mais je n'ai pas commencé tout de suite à ouvrir mes cahiers. Il fallait d'abord que je téléphone à Jessica.

– Mon père a perdu son travail, lui ai-je murmuré dans le combiné (je ne voulais pas que ma famille m'entende annoncer la mauvaise nouvelle aux autres).

– C'est vrai ? Oh, non. Je n'arrive pas à y croire. Oh zut, alors. Je peux faire quelque chose pour toi ?

C'était gentil de sa part, mais je ne voyais pas comment elle pouvait nous aider.

– Il n'y a pas grand-chose à faire. Mais… ce serait bien si je pouvais compter sur toi pour me soutenir un peu. Mes frères et sœurs comptent tous sur moi.

– Eh bien ! S'ils comptent tous sur toi et si, toi, tu comptes sur moi, j'ai intérêt à avoir les épaules solides !

– Oh, j'ai tellement besoin de toi…

– Ne t'inquiète pas, tu sais que tu peux me faire confiance. Je serai toujours là pour toi.

– Je sais, Jessi. Merci. A demain. Bonne nuit.

– Bonne nuit, Mal.

“ Nathalie s’est plantée devant moi et m’a demandé bien fort : « On raconte que ton père s’est fait virer de sa boîte… Qu’est-ce qu’il a fait ? Il a volé dans la caisse ? » ”

5

On était vendredi, et je me préparais à aller à une nouvelle réunion du Club des baby-sitters. Il y avait à peine deux jours que mon père avait perdu son travail, mais on aurait dit que cela faisait des années, tellement le temps me semblait long. Maman s’était inscrite dans une agence d’intérim, mais on ne l’avait pas encore appelée pour aller travailler. Papa s’était tout de suite mis à chercher un nouvel emploi. Ça lui prenait tellement de temps et d’énergie qu’on aurait dit un vrai boulot.

En tout cas, mes parents n’avaient pas l’air plus heureux ni plus gais que mercredi soir. Chaque repas était une torture. Papa était nerveux et de mauvaise humeur, et maman n’arrêtait pas de lui trouver des excuses. Comme on ne savait pas quoi dire, on préférait se taire. Ni maman ni papa ne semblaient avoir remarqué nos efforts pour faire des économies, et pourtant jamais la maison n'avait été aussi calme. On ne se servait quasiment plus de la télévision et de la chaîne hi-fi. Ils n'avaient même pas remarqué qu'on avait lavé la vaisselle à la main pour économiser l'électricité. Je crois qu'ils étaient un peu dépassés par la situation et qu'ils n'arrivaient plus à se rendre compte de rien.

J'appelais régulièrement Jessi pour la tenir au courant des événements. Entre-temps, les autres membres du club avaient appris la nouvelle. Mes parents ne nous avaient pas dit de garder ça pour nous, et puis, de toute façon, les nouvelles vont vite. Du coup, quand je suis entrée dans la chambre de Claudia pour la réunion, elles m'ont toutes accueillie en me demandant comment ça allait et surtout comment mon père allait. Heureusement qu'il était presque cinq heures et demie, je n'ai pas eu besoin de m'éterniser sur la question. Je leur ai dit que ça allait dans l'ensemble. La réunion a commencé tout de suite après. Kristy a posé la question habituelle :

– Quelque chose à signaler ?

Mais elle n'a pas attendu qu'on lui réponde. Elle a immédiatement ajouté :

– Je propose qu'on laisse les baby-sittings chez les Delaney à Mallory. Si Mme Delaney est d'accord pour qu'on change de baby-sitter, bien sûr. Mais je crois que cela ne posera aucun problème. Dis-moi, Mal, ce sera la première fois que tu garderas Amanda et Max, c'est ça ?

J'ai hoché la tête. Pourquoi Kristy me laissait-elle ce travail ?

– Oui, je suis d'accord avec Kristy, a tout de suite dit Claudia.

– Et moi, je suis d'accord avec Claudia, a plaisanté Carla.

– Attendez une minute, les ai-je coupées. Qu'est-ce qui vous arrive ? Et toi, Kristy, pourquoi tu me laisses ta place ?

– Ben, parce que tu en as plus besoin que moi.

Elle s'est arrêtée net, comme si elle venait de se rendre compte qu'elle en avait trop dit. Elle m'a alors demandé, un peu gênée :

– Tu ne le prends pas mal, hein ?

– Non. Je suis juste un peu... surprise, c'est tout. Hum...

Je ne savais plus quoi dire. C'était vraiment très gentil de sa part, et j'acceptais son offre avec plaisir. Mais je ne savais pas comment le lui dire.

– Hum... Merci, Kristy.

Elle m'a fait un grand sourire.

– Y a pas de quoi.

Et puis j'ai pensé...

– N'appelle pas les Delaney tout de suite. Comment je vais faire pour aller chez eux trois fois par semaine ? C'est super loin ! Trop loin en tout cas pour que j'y aille en vélo. Et je ne peux pas demander à mes parents de m'y conduire. (Surtout que Jordan avait proposé de faire des économies d'essence.)

– Pas de problème ! J'ai tout arrangé. Les Delaney ont besoin d'une baby-sitter les lundis, mercredis et vendredis, on est bien d'accord ?

– Oui.

– Ce sont les mêmes jours que les réunions du club, on est toujours d'accord ?

– Oui.

– Eh bien, il suffira que tu prennes le bus avec moi après les cours. Et pour rentrer, tu viendras avec Samuel et moi en voiture. On ira directement aux réunions. Et comme tu n'auras pas ton vélo, on te ramènera en voiture le soir. C'est sur notre chemin.

Claudia a pris la parole :

– Je pense qu'on devrait donner en priorité à Mallory tous les baby-sittings qu'elle pourra assurer. Qu'est-ce que vous en pensez, les filles ?

– Ouais ! a aussitôt répondu Lucy. On propose d'abord à Mallory toutes les demandes qu'on reçoit.

– Mallory, tu es d'accord ? a demandé Jessi. Mallory ?

Je n'arrivais plus à dire quoi que ce soit.

J'avais la gorge toute nouée et les larmes aux yeux. J'ai finalement réussi à déglutir et à murmurer :

– Merci. C'est vraiment... Je veux dire... Vous êtes vraiment...

– Stop ! Arrête ! m'a interrompue Mary Anne. Si tu continues, je vais me mettre à pleurer !

– Oh ! là, là, là, là ! a soupiré Claudia. Ça recommence...

– Bon, je vais appeler les Delaney, a coupé Kristy d'un ton sérieux.

Heureusement qu'elle était là. Elle arrive toujours à garder la tête froide. C'est la seule à être toujours aussi professionnelle. Je me sentais mieux. La réunion reprenait un cours plus normal.

Mme Delaney a accepté le changement de baby-sitter sans même poser de question. Elle faisait entièrement confiance au club. C'est donc à moi qu'est revenue cette garde.

J'avais entièrement repris mes esprits. Mary Anne aussi. J'ai pu parler d'une voix claire :

– C'est vraiment super de votre part, les filles. Je vais donner tout l'argent des baby-sittings à mes parents. Enfin, presque tout. Je crois que je vais en garder un peu pour moi, quand même. Au cas où j'aurais besoin d'acheter quelque chose. Comme ça, je n'aurai pas à leur en demander.

Le téléphone a sonné. C'était Mme Prezzioso qui avait besoin d'une baby-sitter pour le mardi suivant. Mary Anne a inscrit cette garde pour moi dans le planning. Mais elle m'a quand même demandé mon avis avant :

– Tu n'es pas obligée d'accepter si tu n'en as pas envie. Je sais que c'est pénible de garder Jenny alors, si tu préfères, je peux le faire à ta place.

– Non, c'est bon. J'irai chez les Prezzioso. Je ne peux pas me permettre de faire la difficile en ce moment. Je me débrouillerai avec Jenny.

Je me sentais dans la peau d'un soldat volontaire pour aller en première ligne. « Courage ! », me suis-je dit. Avec tous ces baby-sittings, j'allais être drôlement riche ! Enfin, non. Et ce n'est pas mes parents non plus qui allaient le devenir, même avec tout ce que j'allais gagner. Ce n'est pas avec ça qu'on allait pouvoir nourrir une famille de dix !

On a eu d'autres appels, et le planning a été bien rempli. Après le dernier, Claudia a attendu un peu pour voir si le téléphone allait encore sonner. Comme il est resté muet, elle est allée sur son lit et a extirpé un paquet de sucettes de sous son oreiller. Le paquet a fait le tour de la chambre. Bien sûr, Lucy et Carla n'en ont pas pris.

Claudia s'est tournée vers Jessica et moi et nous a demandé :

– Vous savez ce qui s'est passé ce midi à la cantine ?

On n'en savait rien, bien évidemment, puisqu'on ne mange pas à la même heure que les quatrièmes.

– Raconte !

– Dorianne O'Hara s'est évanouie.

– Non ? Tu plaisantes ? lui a demandé Jessi.

Moi, je n'arrivais pas à suivre la conversation parce que je ne pouvais pas m'empêcher de penser à ce qui était arrivé pendant notre pause déjeuner.

– Mallory ? Mallory, tu m'écoutes ? Reviens sur terre !

– Oh, pardon. Oui ?

Carla m'a regardée d'un air inquiet.

– Quelque chose te tracasse ?

J'ai jeté un coup d'œil à Jessi. Elle savait ce qui c'était passé. J'ai bredouillé :

– Ben… Euh… C'est-à-dire que, à midi… euh…

– Oui ? a dit Mary Anne pour m'encourager.

– Nathalie White… Vous la connaissez ?

– Oui, a dit Kristy en faisant la moue. C'est pas la fille la plus sympa du monde. Elle adore se moquer des autres. C'est une vraie peste. Elle s'en prend surtout – ne le prends pas mal, Mallory – aux gens qui se laissent un peu faire.

– Eh bien, elle a choisi la bonne personne, ai-je dit. On était à table. J'étais en train de parler avec Jessica, et elle est venue. Elle s'est plantée devant moi et m'a demandé bien fort pour que tout le monde l'entende : « On raconte que ton père s'est fait virer de sa boîte… Qu'est-ce qu'il a fait ? Il a volé dans la caisse ? »

– J'espère que tu l'as remise à sa place ! s'est exclamée Lucy, indignée.

– J'ai bien essayé, mais… Elle était avec Janet O'Neal.

– Vous voyez le tableau ! a renchéri Jessica.

J'ai continué :

– Elles se sont mises à rire, en disant que leur père à elles ne se serait jamais fait virer. Ensuite, elles se sont assises à notre table avec Rachel et Valérie. Elles ont parlé de moi comme si je n'étais pas là. Même quand elles parlaient moins fort, je pouvais me douter qu'elles me visaient. Elles n'arrêtaient pas de me regarder en gloussant.

– Et moi qui croyais que Valérie et Rachel étaient de bonnes copines à toi ! a soupiré Kristy.

– Ça m'a surprise aussi.

Mary Anne était outrée.

– C'est vraiment méchant de leur part ! Je n'arrive pas à comprendre qu'on puisse faire ça. Enfin, je sais que Nathalie est comme ça, mais ça m'étonne que Valérie et Rachel s'y soient mises !

– Moi aussi. Heureusement qu'on n'est pas très proches. Sinon, je me serais vraiment sentie trahie. Là, ça m'a juste fait mal.

– Mais c'est normal ! m'a rassurée Jessi. Elles ont été odieuses.

– Je me demande pourquoi les gens s'amusent à faire du mal aux autres. A quoi ça leur sert ?

– Je n'en sais rien, a soupiré Jessi. Je crois que Nathalie ne peut pas s'en empêcher. C'est plus fort qu'elle.

– Peut-être, a ajouté Mary Anne. Mais je crois que Valérie et les autres ont ri parce que c'est une situation qui les effraie un peu. Tu sais, parfois on se moque des autres pour se rassurer, pour se convaincre qu'on est mieux qu'eux. Enfin, je parle des gens en général. Peut-être qu'elles se sont moquées de toi parce qu'elles avaient peur que la même chose leur arrive, que leur père perde aussi son travail. C'est comme si elles riaient pour se rassurer.

– Peut-être, ai-je dit, pensive.

Mary Anne avait peut-être raison, mais ça n'en faisait pas moins mal.

– Ne t'inquiète pas, Mallory, a ajouté Carla. Nous, on sera toujours avec toi.

– Ça oui ! a affirmé Claudia avec conviction.

– Ouais. Vous m'avez toutes soutenue quand j'ai emménagé ici, s'est souvenue Jessica. Contre vents et marées. Maintenant, c'est toi, Mallory, qui as besoin de soutien. On ne va pas te laisser tomber.

– Unies pour la vie, c'est notre devise, a dit à son tour Kristy.

– Si on était toutes dans la même classe, ça serait plus facile.

– Ne t'en fais pas. Ce n'est pas ça qui va m'empêcher de donner une bonne leçon à ces petites pestes.

– Ne t'emballe pas trop, Kristy, lui a conseillé Mary Anne.

– Non, mais quand même…

J'avais de nouveau les larmes aux yeux.

– Vous êtes vraiment super !

– S'il te plaît, m'a suppliée Mary Anne, ne pleure pas !

Ça nous a fait rire. Au moment où le réveil allait indiquer six heures, j'ai ajouté :

– Vous êtes les meilleures amies du monde !

Et Carla m'a répondu :

– Ça va bientôt aller mieux. Je suis sûre que tu t'en sortiras bien.

Sur le chemin du retour, je me suis dit qu'elle avait sûrement raison. Mais encore fallait-il que je trouve comment m'en sortir.

“– Tu as des frères et sœurs, Mallory ? a poursuivi Amanda.
– Oui, j’en ai sept.
– Sept ! Ton père doit être drôlement riche ! ”

6

– Sens-moi ça !
– Je suis obligée ?
– Oui, sens !
– Pouah ! Quelle horreur ! Qu’est-ce qu’il y a dans ce sac ?
– Mes chaussettes de sport. C’est dingue, hein ?
– Ah, ouais, ça sent le…
– Ne les écoute pas, m’a dit Kristy à l’oreille.

On était lundi, et je me rendais pour la première fois chez les Delaney. Comme prévu, j’ai pris le bus avec Kristy pour traverser la ville. Il y avait deux gamins derrière nous qui racontaient n’importe quoi. C’était difficile de ne pas y faire attention.

– Pense plutôt à Max et Amanda. C’est la première fois que tu vas les garder, et tu dois savoir une chose ou deux avant d'y aller. Crois-en mon expérience.

– D'accord.

– Tout d'abord, et c'est très important, ne rien les laisser faire tout seuls.

– Comme quoi, par exemple ?

– Tout. Tout ce qu'ils sont censés faire seuls. Ils vont vouloir te tester. Il faut poser les limites tout de suite, sinon ils te mèneront par le bout du nez. Et...

– Kristy...

– Attends, je suis sérieuse. Je sais que tu es une bonne baby-sitter, et que tu sais t'y prendre avec les enfants. Mais il s'agit d'Amanda et de Max, et ils sont vraiment particuliers.

– D'accord, lui ai-je répondu dubitative.

Je n'avais jamais eu de problème avec les enfants que je devais garder, et j'avais toujours su comment m'en sortir, même avec les plus difficiles. C'était bien la première fois qu'on prenait autant de précautions pour un baby-sitting.

– Appelle-moi si ça ne va pas.

Sur ces mots, nous sommes descendues du bus. Les deux garçons qui étaient assis derrière nous continuaient de discuter sur la description exacte de l'odeur de leurs chaussettes. J'étais bien contente de ne plus avoir à les entendre. En quittant Kristy, je lui ai lancé :

– Ne t'inquiète pas. Je t'appelle s'il y a un problème. A tout à l'heure !

Je voulais juste la rassurer. Je n'avais pas vraiment l'intention de l'appeler. Je ne voyais pas ce qui pourrait m'y pousser.

– Oui, à tout à l'heure. Bonne chance avec Max et Amanda !

Pendant que je remontais la rue pour aller chez les Delaney, je me suis demandé pourquoi Kristy m'avait souhaité bonne chance. De la chance pour garder des enfants ?

Du coup, j'ai un peu hésité avant de sonner à la porte. Puis, je me suis dit qu'il n'y avait aucune raison d'avoir peur. Une grande femme très chic est venue m'ouvrir.

– Mallory ?

– Oui, c'est moi. Et vous êtes madame Delaney ?

– Oui. Entre.

De l'extérieur, leur maison ressemblait aux autres maisons du quartier. Mais à l'intérieur ! Je n'en croyais pas mes yeux ! La première chose que j'ai vue en entrant, c'est une petite fontaine. Oui, vous m'avez bien entendue, une fontaine. Dans la maison. C'était un poisson doré qui se tenait sur sa queue au milieu d'un bassin en marbre. Un jet d'eau sortait de sa bouche. Waouh !

J'ai suivi Mme Delaney dans le couloir qui menait à la cuisine. On aurait dit que je visitais un château ou quelque chose comme ça. Je regardais partout, tellement il y avait de choses à voir. On est passées devant une bibliothèque, un bureau et le salon. Il y avait des tableaux avec des cadres dorés aux murs. Pas une poussière, pas de jouets par terre. Tout était à sa place, comme dans un musée. Amanda et Max n'avaient certainement pas le droit d'aller dans ces pièces. Ou alors, c'était des enfants anormalement ordonnés. La cuisine ressemblait à un centre de contrôle spatial. Mais ça, je le savais déjà, parce que Kristy nous en avait parlé. Elle n'avait pas exagéré. Il y avait des gadgets et des accessoires de toutes sortes. Tous étincelants, avec des boutons, des lumières et des cadrans. J'espérais ne pas avoir besoin de préparer le goûter des enfants avec ces engins-là. J'avais l'impression qu'en appuyant sur le moindre bouton, j'allais mettre en marche toute la cuisine. Il me faudrait des heures, rien que pour trouver le frigo !

– Bon, a commencé Mme Delaney. Amanda et Max vont être bientôt de retour. Leur bus passe un peu plus tard que celui qui t'a amenée ici. Les numéros d'urgence sont à côté du téléphone. S'il y a un problème, tu peux appeler le docteur Evans. C'est le médecin de la famille. Tu connais peut-être déjà nos voisins. Il me semble que Louisa Kilbourne est une de tes amies, n'est-ce pas ? Et il y a les Winslow aussi. Voyons… Qu'est-ce que tu dois savoir d'autre… ? Est-ce que Kristy t'a dit qu'on avait une piscine ?

– Non.

Comment avait-elle pu oublier de me dire ça ? Elle m'avait bien dit qu'ils avaient deux courts de tennis, mais elle n'avait pas parlé d'une piscine !

– C'est normal. On vient juste de la faire installer. C'est une piscine en dur, bien sûr.

« Bien sûr », me suis-je dit. Ils n'allaient quand même pas se contenter d'une piscine gonflable !

– Amanda et Max savent très bien nager, a-t-elle continué. Ils ont le droit d'aller dans la piscine quand ils veulent, à partir du moment où il y a un adulte avec eux. Quand il y a une baby-sitter à la maison, il faut qu'un des voisins soit présent aussi. On ne sait jamais. M. et Mme Kilbourne travaillent toute la journée, mais Mme Winslow m'a dit qu'elle serait là cet après-midi. Alors, si les enfants veulent nager, tu peux lui demander de venir t'aider à les surveiller. Il y a une règle pour la présence des copains. Mais ils la connaissent. Quand il y a une baby-sitter, n'ont le droit de venir à la piscine que les bons nageurs. C'est-à-dire ceux qui peuvent faire une longueur sans s'arrêter. Amanda sait parfaitement qui a le droit d'aller dans l'eau ou pas.

– D'accord. Je suis une bonne nageuse. Vous n'avez pas de souci à vous faire.

Elle m'a souri et a regardé l'heure.

– Bon. Je dois m'en aller maintenant. Je reviens à cinq heures. Passe un coup de fil à Mme Winslow si tu as besoin d'elle. Son numéro est aussi à côté du téléphone.

J'ai poussé un soupir de soulagement en voyant la voiture de Mme Delaney s'éloigner. Je suis retournée dans la cuisine. En fouillant un peu, j'ai pu trouver des fruits et des biscuits. Je les ai posés sur la table pour le goûter de Max et Amanda. Je n'ai pas eu à les attendre très longtemps. Quand j'ai entendu du bruit dans l'entrée, je suis allée les accueillir.

– Salut, vous deux !

On aurait dit qu'ils sortaient d'un livre d'images. De parfaits petits écoliers, avec leur uniforme impeccable.

– C'est toi, Mallory ? a demandé Amanda.

– Ouais ! Votre mère vient juste de partir. Elle revient à cinq heures. Je vous ai préparé de quoi grignoter dans la cuisine.

– Dans la cuisine ! s'est exclamée Amanda. Mais on ne mange jamais là.

– Eh bien, aujourd'hui, vous y prendrez votre goûter.

Ils se sont contentés de poser leur cartable dans le placard et de me suivre sans dire un mot.

– C'est ça, notre goûter ?

Max a jeté un coup d'œil à sa sœur en montrant du doigt les fruits et les biscuits que j'avais préparés. Amanda a commencé à débarrasser la table en m'expliquant :

– On prend toujours du Coca et des chips pour le goûter. En fait, on prend ce qu'on veut.

Je me suis dit que, après tout, ils avaient accepté de manger dans la cuisine, alors je pouvais bien les laisser prendre ce qu'ils voulaient. En plus, ça faisait longtemps que je n'avais plus vu de bouteille de Coca ou de chips à la maison.

On s'est installés à la table tous les trois.

Max et Amanda me dévisageaient avec curiosité.

– Tu es une copine de Kristy ? m'a demandé Max.

– Ouais ! Je connais toute sa famille. Et je connais Louisa Kilbourne aussi.

(Ils connaissaient aussi très bien Louisa parce qu'elle les avait déjà gardés plusieurs fois.)

– Où est-ce que tu habites ? m'a demandé à son tour Amanda.

– Pas loin de Bradford Alley.

Elle a froncé les sourcils.

– Je ne sais pas où c'est. Et tu vas dans quelle école ? A l'académie de Stonebrook ou à l'institut de Stonebrook ?

– T'es bête ! a rétorqué Max. Elle est sûrement à l'académie puisque nous, on est à l'institut. On l'aurait déjà vue sinon !

– En fait, je vais au collège public de Stonebrook, leur ai-je dit en souriant.

– Et tu as un animal chez toi ? a enchaîné Max.

– J'ai un hamster. J'ai aussi eu un chat.

– On a une chatte, nous, m'a dit Amanda. Elle s'appelle Priscilla. C'est un persan blanc qui a coûté quatre cents dollars.

Quatre cents dollars pour un chat ! Quand je pense qu'on peut en avoir un gratuitement au refuge des animaux. Et puis, il y a quand même de meilleures façons de dépenser tout cet argent. Comme en faisant des courses.

– Tu as des frères et sœurs ? a poursuivi Amanda.

– Oui, j'en ai sept.

– Sept ! Ton père doit être drôlement riche ! Qu'est-ce qu'il fait ? Je parie que c'est quelqu'un de super important.

– C'est vrai ? a demandé Max.

Amanda ne m'a pas laissé le temps de répondre :

– Nous, notre père, il dirige un grand cabinet d'avocats. Il gagne beaucoup d'argent. Et il nous achète tout ce qu'on veut.

– Ouais ! On a des courts de tennis et une piscine.

« Et un chat à quatre cents dollars », ai-je pensé. Mais je me suis contentée de dire :

– Je sais.

– Notre piscine est immense ! s'est vantée Amanda. Il y a deux petits escaliers pour descendre dans l'eau, et une mosaïque au fond. Et, en plus, il y a un toboggan et un plongeoir. On peut jouer dans la piscine quand on veut. Et nos copains aussi peuvent venir. On a plein de copains. Est-ce que Mme Winslow est chez elle, Mallory ?

– Oui, je crois.

– Super !

Avant même que je m'en rende compte, Amanda était au téléphone en train d'inviter tous ses amis à venir jouer dans la piscine. Puis, ils se sont tous les deux précipités dans leur chambre pour mettre leur maillot et ils se sont rués dans l'eau.

Bien entendu, je n'avais pas pris mon maillot de bain. Alors j'ai dû me contenter de rester assise au bord de la piscine. J'avais l'air bête !

Quelques minutes plus tard, trois enfants sont apparus derrière la rambarde qui entourait la piscine. C'était les copains qu'Amanda avait appelés. Elle est allée leur ouvrir, et ils se sont tous précipités à l'intérieur en poussant des cris de joie. Ce n'était pas évident de surveiller cinq gamins qui sautaient dans tous les sens. Quand j'ai vu une autre petite fille venir, je me suis dit que je n'allais jamais y arriver. Heureusement, Amanda est allée à sa rencontre et lui a dit d'un ton très autoritaire :

– Tu ne peux pas venir. Tu ne sais pas encore nager.

J'étais soulagée mais, en même temps, un peu choquée par le ton d'Amanda. La petite fille avait l'air tellement triste quand elle a fait demi-tour ! En revanche, Amanda semblait très fière d'elle.

Dix minutes plus tard, la même scène s'est reproduite avec un petit garçon. J'ai décidé d'intervenir.

– Amanda !

Elle est venue vers moi.

– Qu'est-ce qu'il y a ?

– Tu pourrais peut-être leur dire gentiment qu'ils ne peuvent pas venir nager aujourd'hui ? Je crois que tu as fait beaucoup de peine à ce garçon.

– Ben quoi ? C'est bien fait pour lui. C'est lui qui m'a fait de la peine l'autre jour. Et puis, de toute manière, il ne sait pas nager. J'y peux rien.

– Là n'est pas la question, Amanda. Tu ne dois pas te servir de la piscine pour te venger. Ou pour te faire des amis. Tu risques de le regretter.

– Quoi ? Qu'est-ce que tu disais ?

Elle ne m'écoutait même pas, trop occupée à regarder Max faire le pitre sur le toboggan.

– Rien. Ce n'est pas grave.

Elle est aussitôt repartie rejoindre les autres.

Je suis restée une heure sous le soleil toute habillée à les regarder s'amuser avec leur nouveau « jouet ». J'ai pensé à Claire qui était à la maison et qui voulait, elle aussi, un nouveau jouet. Elle avait vu une poupée Barbie hôtesse de l'air à la télé, qui lui faisait très envie. Mais elle savait qu'elle ne pourrait pas l'avoir. Pas tout de suite en tout cas.

Je trouvais que la vie était vraiment injuste. Je regardais les Delaney dans leur piscine. Je regardais leurs deux courts de tennis, leur grande maison avec sa fontaine en marbre.

Et je me sentais vraiment minable.

“ – Crétins ! crétins ! crétins ! a scandé Max, furieux.
Timmy lui a lancé d'un ton moqueur :
– C'est celui qui le dit qui l'est. Donc, c'est toi, le crétin, Max. Pas moi. ”

7

Samedi

J'ai fait du baby-sitting chez les Delaney aujourd'hui. Il faisait très beau et les enfants étaient déjà dans la piscine quand je suis arrivée. Il y avait Amanda, Max, Karen Lelland, Timmy Tsu et deux autres que je ne connaissais pas, Angie et Huck (C'est un surnom, mais tout le monde l'appelle comme ça, alors je n'ai aucune idée de son vrai prénom.)

En effet, la piscine a rendu Max et Amanda plus odieux qu'avant. Mallory a déjà pu se rendre compte du problème la première fois qu'elle les a gardés. Mais aujourd'hui, les choses se sont passées un peu différemment. C'est Amanda qui a eu de la peine...

En plus des baby-sittings prévus, les Delaney ont eu besoin de quelqu'un pour garder Max et Amanda samedi après-midi. Bien sûr, quand Mme Delaney a appelé, on m'a d'abord proposé la garde. Mais j'ai dû refuser, alors c'est Lucy qui l'a prise. Je me sentais un peu débordée ces derniers temps. Je n'arrêtais pas de faire des baby-sittings. Sans oublier l'école. Il ne fallait surtout pas que mes notes dégringolent. Au contraire, il fallait que je sois encore meilleure pour espérer avoir une bourse d'études universitaires, au cas où papa n'aurait toujours pas retrouvé de travail quand je sortirais du lycée. Je sais bien que je n'irai à l'université que dans sept ans, mais on ne sait jamais. Mieux vaut être prévoyant. Et économe. C'est ce que m'ont appris les événements de cette semaine.

Ce samedi, j'avais déjà un baby-sitting programmé. Je devais garder les petits Barrett pendant deux heures. Après, je voulais me réserver quelques heures pour travailler sur un exposé d'histoire. C'est pour ça que Lucy est allée chez les Delaney à ma place. Elle avait pris son maillot de bain au cas où. Elle ne voulait pas renouveler mon expérience au bord de la piscine.

Ce n'était pas la première fois qu'elle allait garder Max et Amanda. Ils la connaissaient donc un peu, et la trouvaient bizarre. En effet, les premières fois que les Delaney ont eu recours aux services du Club des baby-sitters, Max et Amanda avaient été si pénibles que Lucy avait décidé de jouer leur jeu jusqu'au bout, pour les prendre à leur propre piège. Elle les poussait à faire encore plus de bêtises, à être encore plus capricieux. Comme si leur attitude ne la choquait pas mais que, au contraire, elle ne les trouvait pas assez exigeants. Par exemple, quand ils ne voulaient pas ranger leur chambre, elle faisait en sorte qu'elle soit encore plus en désordre. A la fin, c'était eux qui la rangeaient sans même qu'on le leur demande, avant que leurs parents ne rentrent. C'est comme ça que Lucy avait réussi à les dompter. Depuis, ils la prennent pour une extraterrestre.

J'ai lu dans le journal de bord que, lorsqu'elle est

arrivée chez eux, ils étaient déjà dans la piscine avec quatre copains, dont Karen, la demi-sœur de Kristy. Mme Delaney a attendu que Lucy se soit changée, puis elle a dit aux enfants qu'elle les laissait avec leur baby-sitter. Elle leur a rappelé les règles à respecter pour la piscine avant de s'en aller.

– Au revoir, maman ! a crié Amanda en sautant comme un dauphin.

Lucy est allée s'asseoir sur le bord de la piscine, les pieds dans l'eau. De là, elle pouvait voir tous les enfants.

– Salut, Lucy ! lui a crié Karen. Regarde-moi.

Elle s'est hissée sur le bord de la piscine pour en sortir toute dégoulinante. Elle s'est reculée de quelques pas et a fait semblant de marcher en lisant un journal. Elle fonçait droit dans l'eau en disant à haute voix pour que tout le monde l'entende :

– Je suis en train de lire mon journal ! Oh, que c'est intéressant ! Et… Plouf ! a-t-elle fait en tombant dans l'eau.

Les autres enfants ont trouvé son petit sketch très drôle. Elle a sorti la tête de l'eau en adressant un grand sourire tout fier à Lucy.

Au même moment, Amanda est venue voir Lucy et lui a demandé :

– Je pourrais avoir quelque chose à manger ?

Lucy a flairé le piège. Elle a regardé sa montre.

– Il n'est que deux heures. Tu viens à peine de déjeuner.

– C'est vrai, mais j'ai de nouveau faim. Je veux…

– Ah, si tu as faim, l'a coupée Lucy, je vais te préparer un bon repas. C'est la seule façon de ne plus avoir faim. Je vais aller te chercher des yaourts, des fruits, et peut-être aussi une salade, si je trouve ça dans la cuisine.

– Oh, ne t'embête pas. J'ai pas si faim après tout.

Amanda s'est vite éloignée et a murmuré à l'oreille de son frère, mais de façon à ce que Lucy l'entende quand même :

– Elle est dingue, cette fille. Elle est vraiment bizarre.

– Ouais, je sais, lui a-t-il répondu d'un air distrait.

Max était occupé à essayer de repêcher une pièce de monnaie qu'il avait lancée dans le fond de la piscine.

Amanda a rejoint Karen pour s'amuser à faire des mouvements de gymnastique dans l'eau, tandis qu'Angie s'entraînait à plonger et à nager le plus loin possible sans reprendre sa respiration. Quant à Timmy et Huck, ils ne quittaient plus le toboggan.

Au bout d'un moment, Amanda est sortie de l'eau pour venir s'asseoir à côté de Lucy, qui est allée chercher une serviette. Elle lui a frictionné un peu les épaules pour éviter qu'elle prenne froid.

– Merci, a dit pensivement Amanda.

Elle a marqué une pause, comme si elle hésitait à parler, puis elle a fini par demander :

– Tu connais Mallory Pike, notre nouvelle baby-sitter ?

– Bien sûr.
– Son père… il s'est fait virer de son travail.
– Je sais.
Lucy s'est demandé où Amanda voulait en venir. Elle n'a rien dit de plus, attendant que la petite fille aille jusqu'au bout de sa pensée.
– Qu'est-ce qu'il fait, ton père, dans la vie, Lucy ?
– Il travaille dans une société à New York.
– A New York ! Et il habite aussi là-bas ?
– Oui. Mes parents sont divorcés.
Amanda a froncé les sourcils.
– Mais je vais le voir souvent. Dès que j'en ai envie.
– C'est vrai ? s'est-elle exclamée, impressionnée. Et il gagne beaucoup d'argent ?
Lucy n'a pas aimé cette question, mais elle a essayé de ne pas le montrer. Avant qu'elle n'ait eu le temps de répondre, de toute façon, Max a surgi de l'eau, sa pièce de monnaie à la main.
– Lucy ! Je n'ai plus envie de nager.
– Moi non plus, a dit Amanda. On est dans la piscine depuis ce matin !
– Pas de problème. Prévenez les autres qu'il faut sortir de l'eau, et on va trouver autre chose à faire. On pourrait jouer si vous voulez.
Amanda s'est relevée et a crié à la cantonade :
– Hé, tout le monde ! Sortez de la piscine ! On va faire un jeu !
– Non ! Je préfère rester, a répliqué Huck.
– Moi aussi, a dit Angie. Je veux encore m'entraîner à plonger.

– Allez, viens, Timmy ! a insisté Max.
– Non. Je reste.
– Angie ! s'est mise à geindre Amanda.
– Je plonge !
Il n'y a que Karen qui est sortie de l'eau, et qui est allée vers Amanda.
– Moi, je veux bien jouer avec toi, Amanda.
– Merci.
Elle a regardé d'un air dépité les autres qui restaient dans la piscine. Puis elle s'est tournée vers Lucy, comme si elle attendait qu'elle intervienne. Lucy était embêtée : elle ne pouvait pas jouer avec Amanda, Max et Karen et surveiller Timmy, Angie et Huck dans la piscine en même temps. Alors elle s'est levée et a ordonné :
– Bon, maintenant, tout le monde sort de l'eau.
– Je ne veux pas sortir, a aussitôt répliqué Huck.
– Et moi, je dois encore m'entraîner à plonger, a ajouté Angie.
– Je croyais que vous étiez venus pour jouer avec Max et moi.
Amanda avait l'air triste. Elle se rendait compte que ce n'était pas pour elle qu'ils étaient venus. Elle en avait les larmes aux yeux.
– Ben…, a bredouillé Angie.
– Il fait tellement chaud aujourd'hui…, a commencé Timmy.
Jusque-là, Max n'avait rien dit.
Mais il s'est tourné vers Huck et lui a demandé :
– Et toi, Huck ? Tu es venu pour jouer avec moi, hein ?

– Ben ouais, pour jouer dans ta piscine !

– Vous êtes tous des crétins ! s'est soudain écriée Amanda.

– Non, c'est pas vrai. C'est vous, les crétins, lui a rétorqué Angie.

– Crétins ! crétins ! crétins ! a scandé Max, furieux.

Timmy l'a toisé et lui a lancé d'un ton moqueur :

– C'est celui qui le dit qui l'est. Donc, c'est toi, le crétin, Max. Pas moi.

Lucy s'est alors interposée :

– Bon, ça suffit ! C'est moi qui commande ici. Et comme je m'occupe de Max et Amanda, et qu'ils ne veulent plus jouer dans la piscine, tout le monde sort de l'eau.

Timmy, Angie et Huck ont fini par quitter la piscine en poussant de grands soupirs contrariés et en faisant la grimace. Max et Amanda les regardaient avec un sourire satisfait.

– Et si on jouait à se déguiser ? a proposé Amanda aux filles.

– Et si on jouait aux dinosaures ? a proposé Max aux garçons.

Mais ces derniers se sont éloignés et ont regagné la sortie. Sans même un regard vers Max, ils ont décliné son invitation :

– Non merci.

Angie était en train de récupérer ses affaires. Elle a annoncé :

– Je vais m'entraîner chez les Miller. Eux aussi ont une piscine.

Max et Amanda ont regardé leurs amis partir d'un air triste. Ils ne comprenaient pas ce qui s'était passé et ne savaient plus quoi penser de leurs copains. Lucy se sentait gênée. Elle ne savait pas quoi leur dire. Heureusement, Karen a fait diversion :

– Oh, ouais, ce serait chouette de se déguiser ! En plus, je me disais que ça faisait longtemps qu'on n'avait pas joué à faire les dames.

Amanda a hoché la tête. On sentait qu'elle se retenait de ne pas éclater en sanglots.

– C'est une bonne idée, a dit joyeusement Lucy. Et si vous montiez enlever vos maillots de bain ? Comme ça, vous pourrez jouer aux grandes dames. Et toi, Max ? Qu'est-ce que tu veux faire ? Tu pourrais appeler d'autres copains pour venir jouer avec toi.

Il a haussé les épaules.

Les enfants ont ramassé leurs affaires et sont rentrés à la maison. Max était désemparé.

– Tu veux que je te lise une histoire ? lui a proposé Lucy.

– Pourquoi pas…

– D'accord. Tu te changes et tu me rejoins.

Ils se sont installés dans la salle de jeu, et Lucy a lu histoire sur histoire. Max l'écoutait à peine. Les filles jouaient dans la chambre d'Amanda, mais Lucy sentait bien que le cœur n'y était pas non plus.

“Si papa était toujours en pyjama et que maman était partie travailler, qui avait été chercher Claire au jardin d’enfants? Est-ce qu’il était sorti en pyjama? ”

8

A la maison, beaucoup de choses avaient changé depuis que papa avait perdu son travail mais, dans l’ensemble, la vie continuait comme avant. On se levait tous les matins à six heures et demie et on se préparait pour aller à l’école. Maman se levait en même temps que nous, et elle se préparait au cas où l’agence d’intérim l’appellerait. Papa se levait, au cas où maman devrait aller travailler. Si c’était le cas, c’était lui qui nous faisait le petit déjeuner et nous emmenait à l’école.

Il passait ensuite tout l’après-midi à chercher du travail. Il épluchait des tas et des tas de petites annonces, et passait beaucoup de temps au téléphone. J’ai jeté un coup d’œil une fois au journal alors qu’il venait de lire. Il y avait des annonces entourées au crayon, d’autres au stylo, et d’autres encore au marqueur rouge. J’ai reconnu l'écriture de papa qui avait noté dans les marges des noms et des numéros de téléphone. Il y en avait partout.

Une fois, Claire est venue me voir pour se plaindre :

– Papa ne joue jamais avec moi après l'école. Il vient me chercher et, dès qu'on rentre, il se remet à lire dans la cuisine.

– C'est parce qu'il cherche un nouveau travail. C'est très important pour lui, et pour nous aussi. Tu te rappelles ce qu'on t'avait expliqué ? Il faut qu'il trouve un travail pour gagner de l'argent.

– Et comme ça, il pourra m'acheter la nouvelle Barbie ?

– Oui, c'est ça. Tu as bien compris.

Maman était assez souvent contactée par l'agence d'intérim. Je ne pourrais pas dire si ce qu'elle faisait lui plaisait ou non. La plupart du temps, elle faisait du secrétariat. Elle nous a expliqué que cela consistait à taper des lettres, à remplir des formulaires de toutes sortes, et à répondre au téléphone. Je n'avais pas l'impression que c'était très intéressant. Du moins, pas d'après ce qu'elle nous en disait. Mais je trouvais que ça devait quand même être plus palpitant que de changer les draps et repasser du linge à la maison. Je crois que maman aurait surtout préféré continuer à faire du bénévolat comme avant. Mais elle n'avait plus le temps. Ce qu'elle aimait bien, c'était quand on la faisait travailler sur un ordinateur. Je ne savais pas que maman se débrouillait en informatique. Je ne pensais même pas qu'elle puisse aimer ça !

Cependant, au bout de deux semaines, les choses ont légèrement changé. Maman travaillait trois ou quatre jours par semaine et papa cherchait toujours du travail à la maison, mais on aurait dit que le rythme de ses recherches ralentissait un peu. Quand je lui ai demandé pourquoi, il m'a répondu :

– J'ai épuisé toutes les possibilités. C'est toujours les mêmes offres d'emploi qui reviennent. J'ai répondu à toutes celles qui pouvaient me convenir et j'ai envoyé des lettres et des CV partout. Maintenant, je n'ai plus qu'à attendre qu'on me propose des entretiens.

Papa avait l'air abattu. Juste au moment où je m'attendais à le voir rayonnant. Après tout, il venait de faire le plus dur. Il n'avait plus qu'à attendre tranquillement à la maison qu'on le rappelle.

Le mardi suivant, je suis rentrée de l'école plus tôt que d'habitude. Je n'avais pas de baby-sitting ce jour-là, et les cours avaient été interrompus par une fausse alerte au feu dix minutes avant la sonnerie. Je me suis dépêchée de rentrer à la maison parce que j'avais des devoirs à faire. Normalement, je retrouvais papa penché sur le journal dans la cuisine. Mais ce jour-là, je l'ai trouvé avachi devant la télé. Il était en jean et en t-shirt, et il portait ses horribles vieilles pantoufles. Les triplés se moquent toujours de lui quand il les met parce qu'elles tombent en morceaux. D'une main, il piochait dans un bol de chips, de l'autre, il tenait un verre de je ne sais quoi. La télé était allumée. Il y avait une émission de jeu quelconque, mais papa ne la suivait pas vraiment. Son regard était vide. Je ne pense pas qu'il s'intéressait aux questions de l'animateur. Je crois qu'il se fichait de savoir que le bonnet d'âne était la tenue favorite des cancres.

J'espérais que papa n'avait pas passé tout l'après-midi devant la télé. Il aurait pu ruiner toutes nos tentatives de réduire au maximum la facture d'électricité !

Je me suis raclé la gorge et je lui ai demandé :

– Papa ? Où est Claire ?

– Hein ?

Je me suis rendu compte qu'il ne m'avait même pas entendue rentrer. Pourtant, je n'avais pas été particulièrement discrète.

– Ah, c'est toi, Mallory. Salut ! m'a-t-il lancé d'un air absent.

– Où est Claire, papa ? ai-je insisté.

– Claire ? Elle était là il y a deux minutes.

Il a jeté un vague coup d'œil autour de lui, puis il a de nouveau fixé la télévision.

– Claire ! Claire ?

J'ai laissé tomber mes livres, et j'ai couru voir dans la cuisine. Il y avait deux possibilités. Soit Claire avait disparu. Soit elle en avait profité pour faire n'importe quoi ! La deuxième était plus probable et je me demandais quelle bêtise elle avait bien pu imaginer. Mais je m'étais trompée. Claire n'avait pas disparu, ni fait de bêtise. Elle était tranquillement dans sa chambre en train de jouer à la poupée. Elle s'amusait à les faire parler :

– C'est pas bien ! Tu es une méchante petite fille. Remets ça tout de suite où tu l'as trouvé. Tu n'as pas le droit de le prendre. Tu sais bien que papa n'a plus de travail.

Puis, en se tournant vers l'autre poupée, elle a ajouté :

– Arrête ! Arrête de me crier dessus !

Elle s'est de nouveau tournée vers la première poupée :

– Ça suffit, maintenant. Je t'ai déjà expliqué que tu ne pouvais pas avoir cette Barbie. Un point c'est tout.

– Salut, Claire, ai-je fait en entrant.

Elle a aussitôt lâché ses poupées et elle a levé les yeux sur moi d'un air coupable.

– Salut.

– Tu es restée dans ta chambre tout l'après-midi ?

– Presque. Je suis descendue trois fois demander à papa s'il voulait bien jouer avec moi, mais il me répond tout le temps « plus tard » :

– Est-ce qu'il t'a préparé quelque chose pour le déjeuner, ce midi ?

– Il m'a dit que je pouvais manger ce que je voulais.

– Et tu as mangé quoi, alors ?

La voix de Claire a commencé à trembler :

– Ben, je voulais des croquettes de poulet, mais il n'y en avait pas.

– Alors tu n'as rien mangé du tout ?

Claire a fait non de la tête. J'ai bien vu qu'elle retenait ses larmes.

– Papa est une grande-stupide-bêbête-gluante.

Je me suis assise à côté de ma petite sœur, et j'ai passé mon bras autour de ses épaules. Que pouvais-je lui dire ?

Je ne pourrais pas vous raconter ce que mon père a fait le lendemain, parce que c'était mercredi et que je devais garder les Delaney. Et comme, juste après, il y avait la réunion du Club des baby-sitters, je ne suis rentrée chez moi que le soir. Mais je crois que papa a dû faire plus ou moins la même chose que la veille. A savoir, rien. Quand je suis rentrée, il portait toujours son jean, son t-shirt et ses vieilles pantoufles. Mais au moins, il aidait maman à préparer le dîner.

Jeudi, après les cours, je suis rentrée directement à la maison. J'avais plein de devoirs : un exposé de sciences naturelles, une interro d'anglais, et des exercices de mathématiques et de français à n'en plus finir. En temps normal, j'en aurais fait le plus possible, et puis j'aurais laissé tomber le reste. Mais les choses avaient changé. J'étais bien décidée à tout faire, quitte à y passer la nuit. Et surtout, j'étais décidée à avoir les meilleures notes de la classe. Pour ça, j'avais prévu de passer toute la soirée dans ma chambre à travailler. Je ne voulais descendre que pour dîner.

Mais papa a tout gâché.

En rentrant, je l'ai de nouveau trouvé devant la télévision, en train de gaspiller bêtement l'électricité. Il ne s'était même pas habillé. Il était encore en pyjama et en robe de chambre. Sans oublier ses vieilles pantoufles, bien sûr. Il regardait une série. Quand je pense qu'il nous avait toujours dit qu'il trouvait ces feuilletons débiles et abrutissants !

– Salut, papa, ai-je soupiré. Où sont Claire, Margot et Nicky ?

Maman travaillait ce jour-là. Je savais que les enfants étaient rentrés de l'école parce que j'avais vu leurs vélos dans le garage. Sans quitter l'écran des yeux, il m'a répondu d'un air vague :

– En haut.

– Papa. Papa ? Tu es sûr que ça va ?

Si j'avais été en colère après lui mardi, maintenant j'étais plutôt inquiète. Il était peut-être malade et c'était pour ça qu'il était resté en pyjama ?

Toujours sans me regarder, il a ajouté :

– Ça va.

– Tu es sûr ?

Il s'est alors redressé et s'est enfin tourné vers moi.

– Oui. Je vais bien. J'aimerais juste que tout le monde arrête de me demander comment je vais. Tout ce que je veux, c'est qu'on me laisse tranquille.

Il commençait à s'énerver. Je me suis dit que Claire, Margot et Nicky avaient dû lui poser la même question, et qu'il s'était déjà mis en colère. J'ai décidé qu'il valait mieux ne pas insister.

Et puis, tout à coup, j'ai réalisé. Si papa était toujours en pyjama et que maman était partie travailler, qui avait été chercher Claire au jardin d'enfants ? Est-ce qu'il était sorti en pyjama ? Ou est-ce qu'il l'avait laissée rentrer seule à la maison ? Elle n'avait encore jamais fait le trajet toute seule !

Je me suis précipitée à l'étage.

– Claire ! Claire ?

Comme si je n'avais que ça à faire aujourd'hui ! Comme si je n'étais pas déjà assez occupée avec tous mes devoirs, pour avoir en plus à gérer les problèmes de la famille.

– Ouais ? m'a-t-elle répondu de la salle de jeu.

Je l'ai retrouvée installée dans le canapé avec Margot et Nicky. On aurait dit qu'ils étaient dans une salle d'attente, assis à ne rien faire.

– Ben, qu'est-ce qui vous arrive ?

Sans leur laisser le temps de me répondre, j'ai enchaîné :

– Claire ? Comment es-tu rentrée à la maison ?

– C'est la maman de Myriam qui m'a ramenée en voiture.

– Mme Perkins ? Comment ça se fait ?

– Parce que papa l'a appelée pour lui demander.

J'ai préféré ne pas insister. Il valait mieux que j'attende le retour de maman pour tirer ça au clair.

– Mais qu'est-ce que vous faites tous là ?

Margot et Nicky ont échangé un regard avant de répondre :

– Papa nous a grondés. Il a crié fort.

– C'est lui qui vous a dit de venir là et de vous asseoir sur le canapé ?

Nicky a fait non de la tête, et m'a expliqué :

– Non. Mais on avait juste envie d'être ensemble.

Claire a ajouté :

– En plus, papa nous a dit de le laisser tranquille.

Super. Si papa ne voulait pas s'occuper des enfants, j'allais devoir le faire à sa place. Mais comment allais-je pouvoir réviser mon anglais ? J'ai finalement demandé à Margot et à Nicky d'aller jouer chez leurs copains. Et quand les autres sont rentrés à leur tour, j'ai dit aux triplés qu'ils pouvaient jouer dans le jardin, et j'ai demandé à Vanessa de garder Claire. Bien sûr, je me proposais de la payer. J'ai dû prendre de l'argent que j'avais économisé sur les baby-sittings.

Quand maman est rentrée, je lui ai tout raconté. Elle n'a pas été très contente d'apprendre que papa avait demandé à Mme Perkins d'aller chercher Claire. Il était toujours affalé devant la télévision. La pièce était en désordre. Il y avait des restes de chips dans une assiette, des verres à moitié vides, et des papiers qui traînaient un peu partout. Maman est allée lui parler. Elle avait l'air très énervée.

– Ce n'est plus possible…

Elle a marqué une pause, puis a repris d'une voix plus calme, comme si elle avait changé d'avis :

– Écoute, je ne peux pas travailler toute la journée, rentrer, faire à manger, ranger la maison, faire le ménage et, en plus, m'occuper des enfants.

Je suis allée la rejoindre. Je me sentais coupable aussi.

– Tu sais, maman. Je suis désolée pour la maison. J'aurais dû ranger avant que tu rentres. Mais, c'est juste que…

– Ce n'est pas de ta faute, mon cœur. Et puis, ce n'est pas à toi de le faire. Tu as déjà tes devoirs et les baby-sittings.

Elle s'est tournée vers papa, et a ajouté en insistant sur chaque mot :

– C'est à toi de le faire. Quand je ne suis pas là, parce que je vais travailler, c'est à toi de t'occuper de la maison et des enfants. C'est ce que je faisais quand tu partais travailler, et que je restais à la maison.

– Je te demande pardon ? Tu peux répéter ce que tu viens de dire ?

Papa s'était levé. Une dispute allait éclater, ça, c'était sûr et certain ! J'ai regardé dans les escaliers, et j'ai vu mes frères et sœurs qui avaient assisté à toute la conversation. Ils avaient l'air effrayés. Je les ai conduits dans leurs chambres. Je ne voulais pas qu'ils voient papa et maman se disputer.

On n'a rien entendu à l'étage. Ils n'ont pas crié si fort après tout. Mais je crois que maman a eu le dessus. Les jours suivants, papa assumait complètement les tâches ménagères quand maman n'était pas là, et il n'a plus appelé Mme Perkins pour s'occuper de Claire à sa place. Il n'était pas très bon cuisinier mais, vendredi soir, il s'est arrangé pour que le dîner soit prêt quand maman est rentrée du travail. La maison avait meilleure allure. Papa aussi avait meilleure allure. Il ne restait plus en pyjama, et s'habillait correctement.

Le mardi suivant, quand je suis rentrée de l'école, j'ai trouvé papa et Claire dans la cuisine, les mains dégoulinantes de colle, et des macaronis étalés sur la table. Ils étaient en train de faire une espèce de tableau de pâtes.

Je ne sais pas pourquoi, mais ça m'a serré le cœur. Ce soir-là, j'ai décidé de réunir le club des Pike.

“ – Eh bien, moi, a dit Jordan, furieux, j'aimerais bien me venger de Michael !
– Moi aussi, a renchéri Adam. J'aimerais bien mettre des araignées écrasées dans son sandwich. ”

9

J'ai mis du temps à comprendre pourquoi la scène où papa et Claire étaient dans la cuisine m'avait fait peur. J'aurais dû être super contente de voir papa s'occuper de Claire avec autant d'entrain. Et ce, en chaussures. J'aurais dû être contente en voyant la maison propre et ordonnée, la salle de bains impeccable. En voyant une sauce bolognaise mijoter sur le feu. En voyant que papa avait été chercher Claire et qu'il passait du temps avec elle. Et pourtant, ça m'a angoissée.

Pourquoi ? Parce que j'ai eu l'impression que papa se fichait de savoir s'il allait retrouver du travail. Qu'il s'était résigné. Qu'il avait perdu espoir. C'est pour ça que j'ai réuni d'urgence mes frères et sœurs.

On s'est tous retrouvés dans ma chambre. Il y avait les triplés, Nicky, Vanessa, Margot, Claire et moi. Personne d'autre que moi ne semblait s'inquiéter de la situation. Ils étaient simplement venus parce qu'ils aimaient bien les réunions du club.

J'ai attendu d'avoir l'attention de tous. Quand Nicky s'est enfin décidé à arrêter de tirer les cheveux de Margot, j'ai pu commencer.

– Alors, quoi de neuf ?

– Moi, je veux toujours ma Barbie ! a immédiatement répondu Claire.

– Je sais, ma puce, que tu veux une Barbie, mais il va falloir encore attendre.

– Ouais... Petite-bêbête-gluante !

On savait tous que Claire n'était pas un modèle de patience. J'ai enchaîné :

– Et l'école ?

Les garçons ont commencé à s'agiter. Ma question semblait les mettre mal à l'aise. Comme personne ne m'a répondu, j'ai continué :

– Vous savez ce qui m'arrive à l'école en ce moment ?

– Quoi ? m'a demandé Byron, intrigué.

– Des filles se moquent de moi à cause de papa. C'est Nathalie White et Janet O'Neal qui ont commencé. Elles ont été odieuses. Et puis, Valérie et Rachel s'y sont mises aussi. Elles ont même fait passer un petit mot dans la cafétéria. Je l'ai trouvé après. Je crois que Nathalie a fait exprès de le laisser traîner pour que je tombe dessus. En voyant la tête que je faisais en lisant le mot, elles ont éclaté de rire.

– Valérie ? s'est étonné Adam. Ce n'est pas la fille qui rentrait de l'école avec toi, l'année dernière ?

– Si. Et Rachel était avec moi en primaire. On était toujours assises l'une à côté de l'autre. On s'amusait bien.

– Qu'est-ce qu'il y avait écrit sur le mot ? a demandé Vanessa.

– « Mallory est une S.D.F. » D'abord, ce n'est pas vrai. Et, en plus, ce n'est pas drôle. Il y a beaucoup de gens pauvres qui n'ont plus de maison, mais il n'y a pas de quoi en rire.

Claire était sur le point, j'en suis sûre, de demander ce que voulait dire S.D.F. Heureusement, Jordan a pris la parole avant elle :

– Michael Hofmeister ne veut plus jouer au foot avec nous.

Les deux autres triplés ont confirmé de la tête.

– Comment ça se fait ? ai-je demandé en fronçant les sourcils.

J'avais déjà une petite idée de la réponse.

– Je ne suis pas sûr, a expliqué Byron. Mais l'autre jour, on nous a demandé de l'argent au club de foot. C'était pour payer le bus pour aller faire une rencontre avec un autre club. On n'a pas pu, tu sais bien pourquoi. Eh bien, après ça, quand on a proposé à Michael de jouer avec nous, il n'a plus voulu.

– Les gens sont parfois méchants..., ai-je commencé.

Je voyais bien que Byron avait envie de pleurer.

Heureusement que Vanessa est intervenue :

– Mais ils peuvent aussi être très gentils.

– C'est vrai ? Qui ça ? lui ai-je demandé, surprise.

– Becca Ramsey, par exemple. Hier, elle m'a offert une glace, parce que j'en avais très très envie.

– C'est vrai. C'est gentil de sa part.

– Eh bien, moi, a dit Jordan, furieux, j'aimerais bien me venger de Michael !

– Moi aussi, a renchéri Adam. J'aimerais bien mettre des araignées écrasées dans son sandwich au beurre de cacahuète.

– Beurk ! s'est exclamée Margot.

– Moi, j'aimerais lui donner sans le faire exprès un coup de batte de base-ball dans la tête.

– Jordan ! ai-je crié.

– J'aimerais que son père se fasse virer de son travail, a dit Byron. Comme ça, il comprendrait ce que c'est. Et c'est moi qui me moquerais de lui quand il ne pourrait pas faire de sortie avec le club de foot.

– Et moi, est intervenue Vanessa, j'aimerais que tu te venges de Valérie et de Rachel, Mallory. Et surtout de Nathalie et de Janet. Tu écrirais plein de choses méchantes sur elles, et tu ferais passer ces mots dans toute l'école. Comme ça, tout le monde se moquerait d'elles.

– Bon, ça suffit maintenant, leur ai-je dit calmement. Moi, je voudrais qu'on parle d'autre chose.

– De quoi tu veux qu'on parle ? s'est étonné Nicky.

– D'argent.

– D'argent ? Encore ? s'est plainte Margot. Mais on n'arrête pas de parler d'argent ! On n'arrête pas d'essayer d'en économiser !

– Je sais. Et vous avez fait du bon travail. Je suis fière de vous. Mais à présent, il faut qu'on trouve un moyen d'en gagner.

– Pour quoi faire ? a demandé Claire.

– Papa ne gagne plus d'argent maintenant. Et, même si maman travaille, elle est loin d'en gagner assez. Je me demande même si ça suffit pour acheter de quoi manger et le strict nécessaire.

– C'est quoi le « strinéssaire » ? a voulu savoir Claire.

– Strict nécessaire, andouille, a rétorqué Adam. C'est les choses dont on ne peut pas se passer. Comme le savon, le dentifrice ou le papier toilette.

– Le papier toilette ! s'est-elle exclamée avant d'éclater de rire.

On ne sait jamais pourquoi Claire se met à rire. Ça peut être n'importe quoi. Comme le mot papier toilette, par exemple.

– Bon, ai-je poursuivi. Si maman gagne assez pour acheter de quoi manger et de quoi faire tourner la maison, il reste à payer les factures et le crédit.

J'ai jeté un coup d'œil à Claire. Elle m'a dit d'un air désolé :

– Moi, je sais pas ce que c'est qu'un crédit. J'y peux rien, moi.

– Ce n'est pas grave, ma puce.

J'aurais pu parier que mes autres frères et sœurs ne le savaient pas non plus ce que c'était. Il fallait que je le leur explique le plus simplement possible, et ce n'était pas facile.

– Voilà. Il se trouve que notre maison ne nous appartient pas encore tout à fait. Pour l'acheter, papa et maman ont dû emprunter de l'argent à la banque. Et maintenant, ils doivent rembourser. C'est seulement quand ils auront fini de rembourser cet argent que la maison nous appartiendra vraiment. En attendant, on peut dire que la maison appartient en partie à la banque.

– A la banque ? s'est exclamé Nicky. Mais alors quelle partie de la maison est à la banque ?

J'ai poussé un soupir. Je savais bien que cela n'allait pas être évident à expliquer.

– Quand je dis « en partie », je ne veux pas dire qu'une partie de la maison appartient à la banque. C'est juste que papa et maman n'avaient pas assez d'argent pour acheter la maison en un seul coup. Alors la banque leur en a prêté. La plupart des gens font ça pour les gros achats et, après, il faut rembourser tous les mois. Je ne sais pas le montant exact, mais si on pense qu'il y a en plus les factures d'électricité, de téléphone, et de gaz, ça doit faire beaucoup. Alors je me dis que papa et maman doivent utiliser l'argent qu'ils avaient mis de côté. Mais un jour ou l'autre, il n'y aura plus d'économies. Alors comment fera-t-on pour tout payer ? Qu'est-ce qui va nous arriver ?

Byron semblait réfléchir. Puis il a dit :

– Papa aura sûrement retrouvé du travail d'ici là.

– Peut-être. Mais peut-être pas, ai-je répondu. Je pense qu'on doit se préparer au pire. Et si ça n'arrive pas, tant mieux !

– Comment on va faire ? ont demandé en chœur Vanessa et Margot.

– Eh bien, moi, par exemple, j'ai mis de côté tout l'argent que j'ai gagné en faisant du baby-sitting depuis que papa a perdu son travail. Je vais bientôt le donner à papa et maman.

– Nous aussi, on pourrait gagner de l'argent ! s'est écrié Jordan.

J'étais contente de l'entendre dire ça. C'était ce que j'espérais.

– Ouais, tu as raison, a tout de suite enchaîné Vanessa. Et je sais exactement comment on peut faire.

– Ah bon, tu as une idée ?

Je croyais savoir, mais je n'en étais pas sûre. Je l'ai laissée m'expliquer :

– Je pourrais vendre mes poèmes à un magazine littéraire !

Vanessa est en effet un poète en herbe. Elle a déjà rempli des tas de cahiers. Elle s'amuse même parfois à parler en faisait des rimes. C'est très pénible pour les autres.

– Vanessa…

Mais je n'ai pas pu continuer ma phrase, elle a aussitôt ajouté :

– Ça peut marcher, je t'assure. Ne te moque pas de moi.

Elle avait à peine dit ça, que les triplés étaient pliés en deux. Adam riait le plus fort.

– Ne t'en fais pas, lui a-t-il dit. On ne se moque pas de toi. On rigole juste…

Mais Vanessa a fait mine de l'ignorer. Elle a continué très sérieusement :

– Je vais essayer en tout cas. La poésie est encore ce que je fais de mieux.

– Hé ! s'est écriée Margot. Tu sais ce que j'ai lu dans un magazine l'autre jour ? Attends, je vais le chercher…

– Je parie qu'elle a vu une annonce attrape-nigauds, a commenté Jordan. Si elle croit qu'on devient une grande artiste comme ça, elle rêve.

Mais ce n'était pas ça du tout. Margot est revenue quelques secondes plus tard en brandissant un journal. Elle l'a feuilleté, et nous a montré l'annonce qui lui semblait si intéressante. Dans un petit encadré était écrit : « Si vs pvez lire ça, vs pvez dvnir sctaire et avr un bon tvail. »

Margot a lu à haute voix, très fière :

– Si vous pouvez lire ça, vous pouvez devenir secrétaire et avoir un bon travail. Eh bien, moi je peux le lire, et j'ai seulement sept ans. Alors, c'est sûr, je vais avoir un bon travail.

– Et tu comptes devenir secrétaire à mi-temps ? s'est moqué Byron. Tu imagines la tête de ton patron quand tu lui expliqueras que tu n'es libre qu'après l'école ?

– Ben, quoi ? Je pourrais peut-être m'inscrire à l'agence d'intérim de maman !

– Margot, lui ai-je dit à regret. Je ne crois pas que ce soit possible.

– Moi non plus, a ajouté Jordan. Mais j'ai une meilleure idée. Et je suis certain que ça peut marcher, parce que c'est quelque chose que je sais faire. Je vais proposer aux gens de tondre leur pelouse.

– Et moi, a dit Byron, je vais voir si je peux promener leur chien ou garder leurs animaux.

– Et moi..., a bredouillé Adam. Et moi, je vais...

– Attends ! Attends ! l'a coupé Byron. Je sais ce qu'on va faire. Tous les trois, on va monter une agence de petits travaux. On l'appellera l'agence ABJ.

– ABJ ?

– Ouais ! pour Adam, Byron et Jordan.

– C'est une très bonne idée. Vous voyez quand vous vous servez de votre tête, il en sort plein de bonnes choses.

– Peut-être que je pourrais distribuer les journaux à domicile..., a proposé à son tour Nicky.

Avant que les triplés n'aient eu le temps de réagir, je me suis exclamée :

– Bonne idée, Nicky ! Tu n'as qu'à demander à tes copains s'il y en a un qui le fait. On voit souvent des garçons à bicyclette faire la tournée des journaux. Ils doivent faire partie d'une société de distribution. Il pourra te dire où tu dois t'adresser.

– Ah, ouais, c'est ce que je vais faire !

Nicky avait l'air heureux et soulagé d'avoir trouvé lui aussi comment gagner un peu d'argent. Margot a alors levé le doigt, comme si elle était en classe. Les autres s'en sont aperçus et ils se sont moqués d'elle. Mais elle avait la tête ailleurs, et elle a attendu que je lui demande ce qu'elle voulait dire pour prendre la parole :

– Si mon idée de devenir secrétaire à mi-temps ne marche pas, alors peut-être que je pourrais tenir un stand de limonade à la place. Claire pourrait m'aider. Et Vanessa aussi. On pourrait l'appeler, le CMV.

– Il va falloir raccourcir le nom de votre stand, a répondu Vanessa, parce qu'il faut que je travaille mes poèmes. Je n'aurai pas le temps de vous aider. Mais CM, ça sonne bien aussi.

Voilà comment nous avons tous trouvé des moyens pour gagner un peu d'argent. Mais Byron avait l'air contrarié.

– Mallory ? Si on ne rembourse pas les crédits, qu'est-ce qui se passera ?

– Je n'en sais rien, ai-je dû avouer. Mais je crois que, au bout d'un moment, la banque peut nous reprendre la maison.

– Ça doit être pour ça que des gens se retrouvent S.D.F. Je comprends mieux maintenant…

« – Vous savez cuisiner ? J'ai un restaurant qui recherche un chef cuisinier.
– Je sais faire des tartines grillées… et du chocolat chaud.
– Bravo ! Vous avez le travail. »

Dimanche
Aujourd'hui, j'ai gardé Lenny,
Cornélia et Sarie Papadakis.
Ils sont vraiment adorables.
Je suis contente de voir que
Lenny et David Michael
s'entendent bien ; ainsi que
Cornélia et Karen. J'espère que
plus tard, Sarie et Emily Michelle
seront copines. Ce serait chouette.

Il faisait un peu froid ce matin,
et il y avait plein de nuages
gris. Les enfants ont préféré rester
jouer à la maison. Ils ont
invité David Michael et Karen
à les rejoindre. Pour une fois,
ils se sont tous amusés ensemble,
garçons et filles. D'habitude,
les garçons ne veulent pas jouer
avec les filles parce qu'ils
trouvent leurs jeux trop
nunuches. Ce jour-là, même
Sarie a pu se mêler à eux.
Mais... – parce qu'il y a un mais –
les choses ont changé quand il
a commencé à faire beau. Lenny
et Cornélia ont été très tristes.

Et devinez à cause de qui ?
De mon frère et de ma sœur !
Voilà comment ça s'est passé...

Les Papadakis étaient les enfants que Kristy préférait garder. Je crois que vous l'avez deviné en lisant les premiers mots de son rapport dans le journal de bord. Lenny a neuf ans (il est à peine plus grand que David Michael), Cornélia en a sept, et elle est dans la même classe que Karen. Sarie n'a que deux ans. C'est encore un bébé. Ils habitent en face de chez Kristy, et les deux plus grands fréquentent la même école privée que Karen.

Comme Kristy l'a écrit, ce dimanche était gris et froid.

– Est-ce qu'on peut inviter des copains à la maison ? a demandé Cornélia.

– Bien sûr, lui a répondu Kristy. Qui veux-tu inviter ?

– Karen !

– Et moi, David Michael, a ajouté son frère.

– Eh bien, rien de plus facile, leur a dit Kristy en souriant. Ils sont à la maison, probablement en train de s'ennuyer. Je les appelle ?

– Oui !

Kristy a téléphoné chez elle pour demander à David Michael et à Karen s'ils voulaient venir jouer avec les Papadakis. Ils sont arrivés en moins de cinq minutes. A peine avait-elle passé le pas de la porte que Karen a demandé :

– A quoi on va jouer ?

– Et si on jouait avec Quick et Flip ? a proposé David Michael.

Quick et Flip sont les animaux des Papadakis. Quick est une tortue, et Flip un caniche.

– Non, a répondu Lenny. On a déjà joué avec eux aujourd'hui.

– Et si on jouait aux poupées ? a alors suggéré Karen.

– Bof, a répondu Cornélia en faisant la moue.

– Et si on jouait plutôt à « Invasion de la planète Neptune », a proposé cette fois Lenny.

– Oh, ça ne me dit trop rien, a soupiré David Michael.

– Hé ! Je sais à quoi on peut jouer ! s'est écriée Karen. Je connais un nouveau jeu où tout le monde peut jouer. Même Sarie. Et même Kristy.

– Quoi ? ont demandé les garçons en chœur.

Ils n'avaient pas l'air convaincus car, en général, ils se méfiaient des idées de Karen. Elle inventait toujours des jeux avec des poupées, des sorcières ou des trucs de filles. Tout ce dont ils avaient horreur, quoi !

– On peut jouer à faire comme si on travaillait dans des bureaux, a expliqué Karen sans se démonter.

– Des bureaux ? a répété Cornélia.

– Oui. On utiliserait un de vos bureaux et on le décorerait comme un vrai bureau de grand. Avec des papiers, des crayons, une agrafeuse, des trombones…

– Et si on prenait le vieux téléphone qui ne marche plus ? a proposé Lenny, qui semblait s'être pris au jeu. Ça fera vraiment vrai, puisque c'est un vrai. On n'aura qu'à faire comme s'il marchait.

Kristy n'en croyait pas ses oreilles. Ils avaient bien l'air de vouloir jouer tous ensemble. Avant qu'elle ne s'en rende compte, ils étaient déjà montés dans leurs chambres. Sarie les suivait comme elle pouvait. Elle a été ralentie par l'escalier qu'elle escaladait marche par marche.

Les enfants avaient décidé de s'installer dans la chambre de Cornélia. Très vite, ils l'ont aménagée comme un vrai bureau.

– Et si on faisait une salle d'attente ? a suggéré David Michael.

– Ouais ! Tous les bureaux ont une salle d'attente. Il y a même des magazines à lire.

Lenny a aussitôt rapporté une autre chaise pour la placer à côté de celle de sa sœur. Il a tiré une table basse et l'a mise devant. Pendant ce temps-là, Cornélia était descendue prendre une pile de magazines. Elle les a disposés sur la table.

– J'ai aussi des albums pour les enfants, et des livres en mousse pour Sarie, si elle doit attendre.

– Mais alors, c'est la salle d'attente d'un médecin, a constaté Kristy.

Cornélia, Lenny, David Michael et Karen se sont consultés du regard.

– J'ai pas envie de jouer au docteur, a dit Lenny. C'est un jeu de bébé.

– En plus, on n'aurait pas besoin de bureau, a ajouté Karen. Mais d'un stéthoscope, d'une grande table pour faire allonger les patients et de trucs de ce genre.

– Ouais, a enchaîné Lenny. Nous, on joue à un jeu de grands, pas au docteur. On joue à... On joue à travailler dans une agence pour l'emploi. Ouaip !

– Une agence pour l'emploi ? a répété Cornélia perplexe.

– Mais oui. J'ai vu ça dans un film à la télé. Il y avait deux filles qui cherchaient du travail. Elles sont allées dans une agence, et un type leur a demandé ce qu'elles savaient faire. Une des filles lui a dit : « Et vous, qu'est-ce que vous pouvez nous proposer comme travail ? » Il leur a répété que ça dépendait de ce qu'elles savaient faire. Et elles ont finalement atterri dans une fabrique de chocolat.

– Waouh ! C'est génial ! s'est écriée Karen.

– Bon, alors qui fait quoi ? a demandé Kristy.

Après de longues discussions et beaucoup de concessions, les rôles ont été attribués. Ils s'étaient mis d'accord pour dire que l'agence appartenait à Cornélia et Karen. Elles devraient rester derrière le bureau pour accueillir les gens. Lenny, David Michael et Kristy feraient les demandeurs d'emploi. Sarie jouerait à être la fille de Kristy.

– Bon, a lancé Cornélia. On commence. L'agence est ouverte.

– C'est moi qui vais passer en premier, a décidé David Michael. J'ai vraiment besoin de trouver un travail. C'est une question de vie et de mort.

– De vie ou de mort, l'a corrigé Kristy.

Elle n'a pas pu s'empêcher de penser à la situation de mon père. Lui aussi avait un besoin urgent de trouver du travail.

David Michael s'est levé et s'est dirigé vers le bureau, pendant que Kristy, Lenny et Sarie restaient assis dans la salle d'attente.

– Bonjour. Je m'appelle David Michael Parker, et je cherche du travail. C'est très très important.

– Bien, a fait Karen. Qu'est-ce que vous cherchez comme travail ?

– Ça dépend. Qu'est-ce que vous avez à me proposer ?

Il s'est alors mis à pouffer de rire. Les autres n'ont pas pu garder leur sérieux non plus. Sarie s'est mise à rire aussi, même si elle ne savait pas pourquoi. Quand le fou rire est passé, Cornélia a repris :

– Voyons voir ce que j'ai comme offres.

Elle a pris un classeur et en a tiré une feuille qu'elle a fait semblant de parcourir.

– J'ai une place de professeur remplaçant. Vous avez déjà enseigné ?

David Michael a secoué la tête.

– Vous savez cuisiner ? J'ai un restaurant qui recherche un chef cuisinier.

– Je sais faire des tartines grillées… et du chocolat chaud.

– Bravo ! a dit Cornélia. Vous avez le travail.

– Merci, merci. Grâce à vous, je vais pouvoir nourrir mes enfants et leur acheter de nouveaux habits.

Les enfants s'amusaient bien, mais tout ça rappelait à Kristy notre situation, à ma famille et moi. Elle se demandait si mon père aussi serait obligé d'aller dans ce genre d'agence et s'il serait obligé d'accepter un emploi pour lequel il était surqualifié. Est-ce qu'il allait finir serveur dans un restaurant, alors qu'il avait été à l'université et qu'il avait un diplôme d'avocat ?

Kristy m'a dit plus tard qu'elle avait l'estomac noué rien que d'y penser. Heureusement que le jeu n'a pas duré toute la journée. Elle a été soulagée de voir apparaître le soleil, et d'entendre les enfants dire qu'ils voulaient jouer dehors.

Ils sont allés dans le jardin.

– Hé ! Il fait assez chaud pour aller se baigner, a dit David Michael.

– Tu as raison, a renchéri Karen. Et si on allait dans la piscine d'Amanda et de Max ?

Cornélia n'avait pas l'air enthousiaste.

– Tu veux vraiment aller chez Amanda et Max, Karen ?

Amanda est un peu plus âgée que Karen, mais elles s'entendent bien. Ce ne sont pas les meilleures amies du monde, mais elles aiment bien jouer ensemble quand Karen vient chez son père. Cornélia habite juste à côté de chez Amanda, mais les deux filles ne s'apprécient pas trop, et ne vont jamais l'une chez l'autre. C'est pour ça que Cornélia avait l'air triste quand Karen lui a répondu :

– Oui. Il fait super beau. Allez, viens, ça va être chouette.

– Non, merci. Je n'aime pas trop Amanda, tu sais bien.

– Mais tu aimes bien te baigner, non ?

– Oui, mais pas au point d'aller chez Amanda.

David Michael a jeté un coup d'œil à Lenny, et lui a demandé :

– Et toi, tu vas venir avec moi, hein ?

– Non. Moi non plus je n'aime pas trop Amanda et Max. Et toi non plus d'ailleurs, tu ne les aimes pas. Comment ça se fait que tu ailles chez eux ?

– Ben… Ben… Parce que… j'ai envie d'aller me baigner.

– Bon, vas-y, alors.

– Il a raison, a dit Cornélia. Vous n'avez qu'à y aller sans nous. Ce n'est pas grave.

– Puisque c'est comme ça, d'accord. On va y aller sans vous, a répondu sèchement Karen.

Kristy a senti qu'il fallait intervenir :

– Vous n'allez pas me dire que vous vous disputez à propos de la piscine ?

– On ne se dispute pas, lui a dit Karen.

Kristy aurait juré le contraire. David Michael et Karen sont partis en laissant les Papadakis tout dépités. Cornélia est restée à côté de Kristy, les larmes aux yeux. Lenny est monté dans la chambre de sa sœur pour enlever toute trace de l'agence pour l'emploi.

Elles l'ont suivi et l'ont aidé à ranger la chambre.

– C'est trop injuste ! a sangloté Cornélia.

– Je suis désolée qu'ils soient partis, a soupiré Kristy.

– C'est pas ça qui est injuste, a aussitôt répondu Cornélia. Je sais que Karen a envie de se baigner. Et je sais qu'elle s'entend bien avec Amanda. J'aurais préféré qu'elle reste ici pour jouer avec moi, mais elle a le droit d'avoir d'autres copines. Mais pour David Michael, c'est autre chose. Je sais qu'il n'aime pas les Delaney. Et il va quand même chez eux, juste pour la piscine. C'est ça qui est injuste. Amanda et Max vont croire qu'il vient pour jouer avec eux.

Lenny était en train de trier les magazines et les livres pour enfants, il a approuvé de la tête ce que disait sa sœur puis, tout en continuant à ranger, il a ajouté :

– C'est vrai. Moi, je n'irais jamais chez quelqu'un juste parce qu'il a une piscine. Ce n'est pas sympa pour lui. Je suis d'accord avec Cornélia.

– Est-ce que beaucoup d'enfants vont à la piscine chez les Delaney ? a demandé Kristy.

– Plein, lui a répondu Cornélia. Du coup, Amanda et Max sont persuadés que tout le monde les aime.

– Et combien parmi eux sont vraiment leurs amis ? a voulu savoir Kristy.

– Pas beaucoup, je suppose, a soupiré Lenny.

– Et vous pensez que les autres ne viennent que pour profiter d'eux ?

– Ouais.

Kristy s'est dit qu'elle ne pouvait pas laisser la situation continuer comme ça. Mais comment faire ? Elle avait bien vu les choses venir, mais jamais elle n'aurait pensé que ça irait aussi loin. Ni que ses frère et sœur y participeraient, tout du moins pas David Michael. Pour Karen, c'était différent, parce qu'elle aimait vraiment bien Amanda. Mais elle n'aurait pas dû laisser tomber Cornélia comme une vieille chaussette.

Dès que Kristy est rentrée chez elle après le baby-sitting, elle m'a appelée pour tout me raconter.

“Ce n’était certes pas une partie de plaisir que d’avoir un père au chômage mais, au moins, je savais à quoi m’en tenir avec mes amies.”

11

J’étais de nouveau chez les Delaney pour garder les enfants. On était mercredi après-midi. Il faisait beau, et nous étions dehors. J’étais assise au bord de la piscine – en maillot de bain, cette fois – en train de siroter un Coca. J’aurais pu me prendre pour une princesse. Les pieds dans l’eau, je pouvais admirer devant moi une petite pelouse qui menait aux courts de tennis. Et si je me retournais, il y avait cette immense maison à l’allure de château, avec une fontaine en forme de poisson dedans. Un vrai conte de fées. Sauf que j’étais payée pour être dans ce conte de fées. Le château n’appartenait pas à mes parents, qui n’étaient ni roi, ni reine. La fontaine dorée n’était pas à nous. La piscine, la jolie pelouse, et les courts de tennis non plus. Pas même le chat à quatre cents dollars qui se prélassait à côté de moi au soleil.

Mais j'avais le droit de rêver, non ?

Alors, j'ai rêvé que j'étais une vraie princesse. Tout en gardant un œil sur Amanda, Max, Timmy, Angie et Huck, bien sûr. Quelque chose m'a tirée de mes rêveries. Il ne se passait pourtant rien de particulier, et les enfants jouaient tranquillement dans l'eau. Mais j'avais le pressentiment que quelque chose se préparait.

Angie s'entraînait toujours à plonger. Elle commençait d'ailleurs à bien s'en sortir, à force de monopoliser le plongeoir. Les garçons glissaient sur le toboggan en faisant les fous et en criant à chaque descente « Attention ! Voilà une bombe ! » ou « Chaud devant ! » Amanda était installée sur une bouée énorme en forme de tortue, les pieds dans l'eau. Elle était plongée dans le deuxième tome de *Harry Potter*.

J'ai tendu l'oreille quand Max a proposé aux autres :

– Et si on faisait les otaries plutôt que les bombes ? On pourrait glisser sur le ventre en tapant dans nos mains !

Alors je me suis dit que je m'inquiétais certainement pour rien. Ils en avaient juste assez de faire les bombes.

Amanda a refermé son roman et a dit en s'étirant :

– Ce livre est super !

– Tu l'as déjà fini ?

– Ouais. Et je l'ai commencé hier seulement.

Elle s'est avancée vers moi en battant des

pieds et m'a tendu le livre. Puis, elle a sauté de la bouée sur le rebord de la piscine pour venir s'installer à côté de moi.

– Hé ! Angie ! a-t-elle crié. J'ai fini de lire. Tu viens jouer avec moi ?

Elle venait de sortir la tête de l'eau après un plongeon plutôt réussi. Elle avait les cheveux plaqués sur le visage. Elle s'est bouché le nez et a mis sa tête en arrière dans l'eau pour remettre ses cheveux en place. Puis, elle s'est de nouveau dirigée vers le plongeoir en se contentant de répondre :

– Non, j'ai une compétition de plongeon la semaine prochaine !

Je n'ai pas pu m'empêcher de lui demander :

– Tu es venue ici pour t'entraîner ou pour jouer avec Amanda ?

Amanda m'a regardée avec des yeux ronds. Elle avait l'air impressionnée par mon intervention. Elle s'est levée et a crié à l'attention de son amie :

– Ouais, c'est vrai, ça ! Tu es venue ici pour moi ou pour la piscine ?

Angie a rougi jusqu'aux oreilles et elle a bafouillé :

– Heu...

Heureusement pour elle, mon attention a été détournée par Max juste à ce moment. Il en avait assez de jouer dans la piscine, et venait se sécher près de moi.

– Qu'est-ce qui se passe, Max ?

– J'ai envie de jouer un peu au tennis maintenant.

Timmy avait entendu, et il a lancé :

– Pas nous !

Il parlait visiblement pour Huck et lui. Ce dernier s'est élancé du haut du toboggan en criant :

– Chaud devant !

Je me suis tournée vers Amanda.

– Et toi, qu'est-ce que tu as envie de faire ?

Je savais que tout ça allait mal tourner. On en avait parlé avec Kristy, et Lucy avait déjà mentionné le problème dans son compte rendu. J'ai regardé Amanda dans les yeux. Elle n'avait plus du tout l'air de la petite fille snob que j'avais gardée la première fois.

– Tu veux encore te baigner ?

Elle a secoué la tête.

Voilà. Je me suis retrouvée dans la même situation que Lucy. J'étais là pour m'occuper des Delaney, et ils ne voulaient plus se baigner. Mais il y avait encore trois enfants dans la piscine. J'ai dû me résoudre à faire comme Lucy.

– Bon ! Angie ! Huck ! Timmy ! Sortez de l'eau ! Il est temps de faire autre chose maintenant. Vous pouvez jouer au tennis avec Max, ou... ou...

Amanda m'a donné un petit coup de coude. Je me suis penchée vers elle, et elle m'a parlé à l'oreille. Je me suis relevée, et j'ai continué à voix haute :

– Ou faire un théâtre de poupées avec Amanda.

Mes propositions ont été accueillies par un concert de grognements.

– Mais j'ai de nouvelles poupées ! a plaidé Amanda.

– Et alors ? a rétorqué Angie. Moi aussi.

– Bon, de toute façon, tout le monde sort de l'eau, ai-je répété.

Angie, Timmy et Huck se sont exécutés en râlant.

– Quel rabat-joie !

– Ouais ! Quel casse-pieds !

Amanda et Max m'ont regardée d'un air reconnaissant. Amanda est allée jusqu'à me remercier ! Pendant que les autres se séchaient, Max a proposé aux garçons :

– J'ai plein de raquettes. Vous pourrez choisir celle qui vous plaît.

Amanda s'est approchée d'Angie.

– Tu viens, mes nouvelles poupées sont dans ma chambre.

Mais Timmy, Huck et Angie ne les ont même pas regardés.

Ils sont allés droit vers la sortie, sans dire un mot.

Amanda en est restée bouche bée. Max les regardait partir en serrant les poings.

– Je n'y crois pas ! s'est écriée Amanda. Je n'en reviens pas !

J'ai passé mon bras autour de ses épaules. Puis autour de celles de Max.

– Bon, et si on allait s'asseoir une minute ?

Je les ai poussés vers les chaises longues, mais Max s'est dégagé de mon étreinte.

– Je vais quand même jouer au tennis. Je jouerai contre le mur.

Il est parti dans la maison se changer et chercher une raquette. Amanda est restée avec moi. Elle avait envie de parler.

– Comment ça se fait qu'Angie ne veuille pas jouer avec moi ? Je croyais qu'on était amies... heu... C'est parce qu'elle trouve que je veux la commander ?

« Pauvre Amanda », me suis-je dit. C'était vrai qu'elle pouvait parfois être pénible à vouloir jouer les chefs. C'était vrai aussi qu'il fallait qu'elle reçoive une bonne leçon. Mais elle avait compris maintenant et elle faisait attention.

– Non, tu n'as pas voulu la commander, cette fois-ci. Sinon, tu aurais dit : « Angie, maintenant, tu sors de l'eau et tu joues avec moi au théâtre de poupées ! »

– C'est toi qui as dit ça ! m'a-t-elle fait remarquer en souriant.

– Oui, j'ai dû dire quelque chose comme ça.

– Mais alors, si je n'ai pas voulu la commander, pourquoi elle est partie ? Je voudrais que les autres viennent ici pour jouer avec Max et moi, pas pour la piscine !

– Je comprends.

– Tu sais quoi ?

– Non.

– Je ne sais pas si les enfants nous aiment bien,

Max et moi. Je me demande s'ils ne préfèrent pas la piscine. Je ne sais pas quoi penser…

Sur ces mots, elle s'est mise à pleurer. Entre deux sanglots, elle a continué :

– Ce sont nos amis ou pas ? Tu crois qu'ils m'aiment bien ?

J'ai pris Amanda dans mes bras, et je lui ai caressé les cheveux pendant qu'elle pleurait. Je me suis dit que, après tout, être une princesse, ce n'était pas si bien.

Ce n'était pas drôle d'avoir à se demander tout le temps si les gens vous aiment pour vous ou pour ce que vous pouvez leur apporter. Comme par exemple, les laisser jouer dans votre piscine, avec vos super nouveaux jouets, ou leur prêter de l'argent, ou leur présenter d'autres enfants riches.

Ce n'était certes pas une partie de plaisir que d'avoir un père au chômage mais, au moins, je savais à quoi m'en tenir avec mes amies. Il était évident que Jessica m'aimait pour moi. Ces derniers temps, je n'avais rien d'autre à lui offrir que ma présence, et elle était restée à mes côtés. Rien n'avait changé entre nous.

J'avais de la peine pour Amanda et, en même temps, je l'enviais d'avoir une piscine, une très belle maison et un chat à quatre cents dollars. Moi aussi, j'avais découvert qui étaient mes vraies amies et qui ne l'étaient pas.

– Tu sais quoi ? ai-je demandé à Amanda.

– Quoi ?

– J'ai appris plein de choses très importantes quand mon père a perdu son travail.

– C'est vrai ?

– Oui. J'ai vu qui me soutenait et qui me laissait tomber. Ceux qui me soutiennent sont mes amis. Les autres sont…

– Tes ennemis ?

– Non, pas des ennemis. Mais des gens en qui je ne peux pas avoir confiance. Parce qu'ils font plus attention à ce que j'ai qu'à ce que je suis.

– Oh.

– Tu sais, j'ai réfléchi. Même si nos familles sont très différentes, on a le même genre de problèmes. Tu te demandes à qui tu peux faire confiance. Est-ce que tes amis t'aiment parce que tu as une piscine, ou est-ce qu'ils t'aiment parce que c'est toi ?

– Je n'en sais rien.

– Je suis sûre que tu vas savoir faire le tri.

– Tu crois ? Comment je vais faire ?

– Eh bien, tu n'as qu'à commencer par dire que tu n'as plus le droit de laisser des amis venir jouer dans la piscine quand il y a une baby-sitter. Tu n'as qu'à dire que c'est une nouvelle règle. Et puis tu verras bien qui continuera à venir jouer avec toi.

– Oui, c'est une bonne idée. Merci.

Amanda avait cessé de pleurer. Elle a essuyé une dernière larme et esquissé un sourire. Elle a réfléchi un instant, puis m'a dit d'un air joyeux :

– Et tu sais ce que je vais faire aussi ? Je leur

dirai ce que je pense, à ceux qui ne viendront plus ! Je suis contente que tu sois ma baby-sitter, tu sais, Mallory !

J'ai réalisé qu'Amanda se fichait dorénavant de savoir si mon père gagnait beaucoup d'argent ou pas. On était complices maintenant. On avait monté un plan ensemble. J'espérais juste que certains enfants au moins continueraient à venir jouer avec Amanda et Max.

“Vous pouvez raconter n’importe quoi sur ma famille, vous moquer de moi ou dire du mal de mon père, ça m’est égal. Je me fiche de ce que vous pensez.”

12

Cette journée de baby-sitting m’a fait réfléchir. Le soir, dans mon lit, je n’arrivais pas à dormir. Je pensais à ma conversation avec Amanda. Il fallait que je suive le conseil que je lui avais donné. Sans oublier d’y ajouter une touche personnelle. Elle avait raison de vouloir dire ce qu’elle pensait à ceux qui ne viendraient plus jouer avec elle.

Ma chambre était plongée dans le noir. Les rideaux étaient tirés, mais une des fenêtres était restée ouverte. Je me suis enfouie sous mes couvertures et j’ai tendu l’oreille pour écouter les bruits de la nuit. J’ai entendu les derniers criquets dans les arbres, une voiture qui passait dans la rue, et mes parents fermer la porte d’entrée à clé avant d’aller se coucher. Vanessa dormait à poings fermés. Elle faisait de petits bruits bizarres dans son sommeil.

Ma décision était prise. Je n'allais plus me laisser faire par celles qui s'étaient moquées de moi. On verrait bien qui aurait le dernier mot ! Rachel et Valérie n'avaient même pas cherché à me comprendre. Il avait suffi que Nathalie et Janet se moquent de moi pour qu'elles fassent pareil. Et tout ça, parce que mon père avait perdu son travail ! Je n'allais quand même pas me laisser faire sans rien dire. Mais je me suis ensuite demandé si ça valait vraiment la peine de se battre. Après tout, j'avais mes amies du Club des baby-sitters. Et qu'est-ce que j'allais bien pouvoir leur dire, à ces filles ? Je ne pouvais quand même pas aller les voir et leur dire : « Vous n'êtes plus mes amies » ou « Si vous étiez mes amies, vous ne me traiteriez pas comme ça ! »

Le lendemain matin, j'étais toujours fermement décidée à ne plus me laisser marcher sur les pieds, même si je ne savais pas encore comment j'allais m'y prendre.

J'en ai parlé à Jessica pendant le déjeuner. On était à la cafétéria. Jessi a acheté un plat chaud puis elle est venue me rejoindre à une table. J'avais apporté un sandwich de la maison. Maman nous avait dit qu'il était plus économique de nous préparer nous-mêmes de quoi manger plutôt que de l'acheter à la cafétéria. Bien évidemment, nos déjeuners n'avaient rien d'extraordinaire. C'était toujours plus ou moins la même chose tous les jours : un sandwich et des fruits. Mais aucun d'entre nous ne s'était plaint parce qu'on savait qu'il fallait faire des efforts pour soutenir nos parents.

J'avais choisi une table à l'écart des autres. Je voulais parler à Jessica en privé. Quand elle s'est assise en face de moi en posant son plateau, j'ai comparé nos repas. Le mien faisait vraiment tristounet à côté de sa pizza au fromage et de sa salade composée.

– Bon appétit ! Ça a l'air délicieux.

– Merci. Bon appétit aussi. Alors, de quoi voulais-tu me parler ?

J'ai jeté un coup d'œil autour de nous. Janet, Nathalie et les autres étaient venues s'asseoir à la table d'à côté, alors je me suis penchée vers Jessi pour qu'on ne nous entende pas.

– Je veux donner une bonne leçon à Valérie et aux autres. Surtout à Nathalie et à Janet. C'est elles qui ont commencé à se moquer de moi.

– Comment tu vas faire ?

– Ben, je ne sais pas encore. C'est bien pour ça que je t'en parle. Il faudrait que tu m'aides.

Jessi m'a regardée d'un air perplexe. Elle a avalé une bouchée de pizza, et m'a demandé :

– Tu veux leur faire quelque chose, ou bien tu veux les mettre dans le pétrin ?

– Je ne sais pas.

En fait, ce n'était pas grave si je n'avais pas encore mis de stratégie au point. Les événements ont décidé pour moi. Vous allez voir comment.

Jessica et moi avons continué à nous creuser la tête pendant tout le repas pour savoir quelle attitude adopter, quand on a entendu mon nom. C'était Nathalie et Janet qui recommençaient à dire du mal de moi.

– Jessi, ne te retourne pas. Fais comme si de rien n'était, mais je crois qu'elles parlent encore de moi.

Mais Jessica n'a pas pu s'empêcher de jeter un coup d'œil par-dessus son épaule.

– Je t'avais dit de ne pas les regarder !

– Mais elles nous regardent.

– Ce n'est pas grave. Continue de manger, mais ne dis rien. Je vais essayer d'écouter ce qu'elles se disent.

Jessica a hoché la tête, et s'est replongée dans son assiette. J'ai essayé de me concentrer sur la table d'à côté pour suivre leur conversation.

– Il a dû faire quelque chose de mal, a dit Janet.

– Peut-être que c'est parce qu'il est trop bête, a suggéré Rachel en gloussant.

Les autres se sont mises aussi à rire.

– Oui, moi je crois surtout que le père de Mallory était nul, a dit à son tour Nathalie.

J'étais sidérée ! J'ai regardé Jessi qui en était restée bouche bée.

– Si tu ne fais rien, m'a-t-elle murmuré, c'est moi qui vais le faire. On ne peut pas les laisser dire des choses pareilles !

– Ne t'en fais pas. Je vais m'en occuper.

Je me suis levée.

– Tu vas te battre avec elles, Mallory ?

– Mais non. Je ne ferais pas le poids, elles sont quatre. Mais j'ai ma petite idée, tu vas voir.

Je me suis dirigée vers leur table et je me suis plantée entre Nathalie et Janet. A côté d'elles, il y avait Rachel et Valérie. Elles ont toutes levé les yeux sur moi.

– Au cas où vous seriez aveugles, je vous signale que je suis à la table juste à côté de vous.

Je leur ai montré la place vide en face de Jessi, puis j'ai continué :

– Il faut que je vous dise aussi que je ne suis pas sourde. J'ai entendu tout ce que vous avez dit sur mon père. Je suppose que c'est ce que vous vouliez, non ?

Nathalie a ouvert la bouche, mais je ne lui ai pas laissé le temps de dire quoi que ce soit :

– Ça ne m'étonne pas de vous, d'ailleurs. C'est tout à fait dans votre genre !

– Comment ça, dans notre genre ? a demandé Valérie.

– Oui, dans votre genre. Le genre langue de vipère, quoi ! Mais, il faut que vous sachiez une chose : vous pouvez dire ce que vous voulez, je m'en fiche complètement. Vous pouvez raconter n'importe quoi sur ma famille, vous moquer de moi ou dire du mal de mon père, ça m'est égal. Et vous savez pourquoi ? Parce que je ne vous aime pas. Et donc, je me fiche de ce que vous pensez. Je sais qui sont mes vraies amies, et c'est tout ce qui compte pour moi. Elles ne m'ont pas laissée tomber, elles. Même quand mon père a perdu son travail. Parce que, pour elles, ce n'est pas ça l'important. Au passage, autant vous dire que mon père n'a pas été viré parce qu'il faisait mal son travail. Il se trouve que son entreprise a des problèmes financiers et qu'elle a dû licencier une partie du personnel, dont mon père. Ça n'a rien à voir avec ses compétences. Et puis, de toute façon, ça ne vous regarde pas. Alors, occupez-vous de vos affaires ! Quant à vous deux, Rachel et Valérie, vous n'êtes plus mes amies. Et vous, les deux autres, vous ne l'avez jamais été. (Je me suis retournée vers Rachel et Valérie.) Autre chose : ça m'étonnerait que Nathalie et Janet soient vraiment vos amies, parce qu'elles ne savent pas ce que c'est que l'amitié. Tout ce qu'elles savent faire, c'est utiliser les gens. Si j'étais vous, je me méfierais.

Sur ces mots, j'ai tourné les talons et je suis retournée à ma place comme si de rien n'était. Une fois assise, je n'ai pas pu m'empêcher de jeter un coup d'œil dans leur direction pour voir leur tête. Je n'ai pas été déçue. Elles avaient l'air complètement sonné. Je les avais laissées littéralement sans voix. Elles ne se sont, bien sûr, pas excusées. Mais je n'en attendais pas tant.

– Waouh, Mallory ! s'est exclamée Jessica. Je n'arrive pas à croire que tu aies pu faire ça.

– Moi non plus.

Je me suis rendu compte que je tremblais des pieds à la tête. Mais je ne regrettais rien. Je savais que j'avais eu raison. Je supposais que

Rachel et Valérie ne m'adresseraient plus jamais la parole. Mais au moins, elles n'oseraient plus jamais s'attaquer à moi.

Le lendemain, je suis allée comme prévu garder les Delaney. Je suis arrivée chez eux juste avant qu'Amanda et Max ne rentrent de l'école. Je n'ai pas eu à attendre longtemps avant d'entendre Amanda crier :

– Mallory ! Mallory ! Tu es là ? Devine quoi !

– Je suis dans la cuisine ! Qu'est-ce qu'il y a ?

Quand elle m'a vue, elle s'est jetée dans mes bras.

– Ton idée a marché ! Max l'a essayée aussi, hein, Max ?

– Ouais.

– On a dit à tout le monde qu'on n'avait plus le droit d'aller dans la piscine quand il y avait une baby-sitter. Après, j'ai invité Angie, Karen et Mégane à venir cet après-midi jouer à la marelle.

– Et moi, j'ai invité Timmy et Huck à faire une partie de basket-ball.

– Eh bien, tout le monde va venir, sauf Angie. Karen a même dû demander à sa mère de l'amener ici en voiture.

– Comment se fait-il qu'Angie ne vienne pas ? ai-je demandé pendant que je les aidais à se débarrasser de leur cartable.

Amanda et Max se sont attablés devant les verres de lait et les biscuits que je leur avais préparés. Entre deux bouchées, Amanda m'a raconté :

– Elle m'a dit qu'elle n'avait pas envie de venir. Ce n'est pas très sympa, hein ?

J'ai approuvé d'un signe de tête. Elle a continué :

– De toute façon, je ne l'aimais pas trop. Maintenant, je sais qui sont mes vraies amies. Max aussi. Tu avais raison, Mallory. Les vrais amis ne viennent pas pour la piscine, mais pour nous.

Je leur ai fait un grand sourire. J'étais fière d'eux.

Quand ils ont eu fini leur goûter, ils m'ont aidée à débarrasser. « De mieux en mieux », me suis-je dit. Leurs amis n'ont pas tardé à venir. Les garçons se sont mis d'un côté de la cour et les filles de l'autre. Max et ses copains ont commencé à jouer au basket, pendant que les filles dessinaient une marelle à la craie. L'après-midi s'est déroulé tranquillement. Les enfants avaient l'air contents, et personne n'a parlé d'aller dans la piscine. Sauf Amanda qui m'a prise à part et m'a confié :

– Maintenant que je sais qui sont mes vraies amies, je vais leur dire que les règles de la piscine ont de nouveau changé. J'ai envie de nager. Ça me manque.

“Le téléphone s’est mis à sonner. Papa a répondu.
– Allô. C’est lui-même… Bonjour, monsieur, oui… oui… Mardi ? D’accord. Merci. Au revoir.”

13

Vendredi,

Aujourd'hui, j'ai gardé mon frère et ma sœur pendant que ma tante Cécilia faisait les courses. Ça s'est bien passé, comme d'habitude. Becca et P'tit Bout sont vraiment mignons. Vanessa et Charlotte sont venues à la maison jouer avec Becca.

Hé, Mallory, tu sais ce que fait

la sœur Vanessa à l'école.
pour gagner un peu d'argent?
Tu dois certainement être
au courant. J'ai été un
peu surprise quand Becca
me l'a dit, mais finalement,
je trouve ça plutôt marrant.
Les filles ont passé l'après-
midi à jouer aux agents secrets.
C'est Vanessa qui leur a
appris comment y jouer.
Et P'tit Bout s'est beaucoup
amusé aussi. Il vient de
trouver une nouvelle
occupation : grimper les
escaliers ! Bien sûr, je
reste derrière lui, parce qu'
il ne tient pas encore

bien sur ses jambes. Ce qui fait que j'ai passé une grande partie de l'après-midi à monter et descendre les escaliers. Quand il a enfin voulu passer à autre chose, j'étais sur les rotules. Qu'est-ce qu'il ne faut pas faire, hein?

Je ne savais pas du tout ce que Vanessa avait bien pu trouver à faire. Quand je l'ai su par Jessica, moi aussi, j'ai été surprise. Et, à la réflexion, j'ai aussi trouvé ça drôle. Voilà comment Jessica a découvert le trafic de ma sœur.

Tante Cécilia se préparait à sortir faire des courses, et P'tit Bout venait de se réveiller de sa sieste quand Jessica et Becca sont rentrées de l'école. Tout le monde était dans la cuisine. Avant de partir, tante Cécilia leur a fait, comme d'habitude, quelques recommandations :

– Jessi, c'est toi qui t'occupes de tes frère et sœur pendant mon absence. Becca, tu écoutes ta sœur, et tu es sage, d'accord? (Comme si elle avait l'habitude de faire des bêtises!) Je vais aller au centre commercial. S'il y a un problème, Jessica, tu appelles les voisins ou tes parents, d'accord?

Jessi est une baby-sitter confirmée, elle n'a pas besoin qu'on lui rappelle les principes de base. Mais elle s'est contentée de répondre :

– D'accord. Tout se passera bien, ne t'inquiète pas.

– Bon, à tout à l'heure, les enfants.

Dès qu'elles ont entendu la voiture s'éloigner, Jessica et Becca se sont écriées :

– Super ! Un après-midi sans tante Cécilia !

– Ouais ! Qu'est-ce que tu veux comme goûter? Puisque tu-sais-qui n'est pas là, on peut manger ce qu'on veut !

Becca s'est servi un verre de jus d'orange et des biscuits, tandis que Jessica s'est coupé une grosse part de gâteau au chocolat qu'elle a accompagnée d'un verre de lait. Jessi a installé P'tit Bout dans sa chaise de bébé et a posé devant lui un biberon de jus de fruit et des gaufrettes à la vanille.

Becca s'est étirée.

– C'est la belle vie ! Je préférais quand c'était toi, Jessica, qui nous gardais. C'était le bon vieux temps…

– Ça me manque aussi. Peut-être que tante

Cécilia finira par se faire des amies dans le quartier, et qu'elle sortira plus souvent.

Becca s'est soudainement redressée sur sa chaise. Elle a posé le biscuit qu'elle tenait sur la table.

– Oh, non..., a-t-elle soupiré.

– Qu'est-ce qui ne va pas ? s'est inquiétée Jessi. Ton biscuit n'est pas bon ? Tu t'es cassé une dent ?

– Non. Je viens de penser à Vanessa. Et je me dis que ce n'est pas juste.

– Qu'est-ce qui n'est pas juste ?

– Ben, on est là à se régaler et à se plaindre de tante Cécilia, alors que Vanessa est bien plus à plaindre que nous. Tu sais, à cause de son père. Ils n'ont plus beaucoup d'argent, alors ils ne peuvent plus se permettre d'acheter des sucreries comme nous.

Oui, Jessica voyait tout à fait ce qu'elle voulait dire.

– Mais peut-être que les choses vont bientôt changer, a continué Becca d'une voix plus gaie.

– Ah bon ? Comment ça ?

– Parce que Vanessa et ses frères et sœurs ont trouvé un moyen de gagner de l'argent.

– Ah oui, Mallory m'en a parlé. Mais tu ne vas pas me dire que Vanessa a réussi à vendre ses poèmes à un magazine ?

– Vendre ses poèmes à un magazine ? Non. Mais elle se fait appeler Miss Vanessa, coiffeuse-styliste. Elle s'est installée dans la cour de récré.

Jessica a failli s'étrangler avec son lait.

– Quoi ? Elle se fait appeler Miss Vanessa, et elle coiffe les enfants dans la cour de l'école ?

– Ouaip !

– Et elle est douée ? a demandé Jessica en essayant de ne pas éclater de rire.

– Il faut croire. Elle a fait une tresse indienne à Emma aujourd'hui. Et un très joli chignon à Tess. Comme Tess a les cheveux longs et épais, elle les a relevés en laissant de petites mèches retomber sur le côté. C'était vraiment super.

– Super réussi ou super raté ? a demandé Jessi d'un air taquin.

– Super réussi, voyons.

– Eh bien, je suis contente que Vanessa s'en sorte aussi bien.

– Moi aussi. Parce qu'il y en a qui se sont moqués d'elle et de son père. Ils s'en sont même pris aux triplés, à Margot et à Claire. Tu te rends compte ?

– Ouais. Mallory aussi s'est fait embêter à l'école... Et si tu invitais Vanessa à venir à la maison ?

– Je peux ?

– Bien sûr. Vas-y.

Becca a aussitôt appelé à la maison. C'est papa qui a décroché le téléphone.

– Est-ce que je peux parler à Miss Vanessa ? a-t-elle demandé le plus sérieusement du monde.

Vanessa était ravie d'aller chez les Ramsey. Quand elle est arrivée chez eux, elle a proposé à

Becca d'appeler aussi Charlotte. Ce qu'elle a fait sans attendre. Il faut dire que c'est sa meilleure amie depuis longtemps. Une fois que Charlotte les a rejointes, Vanessa leur a appris comment jouer aux AS.

– Aux « aèsse » ? Qu'est-ce que c'est ? a demandé Becca.

– Aux A. S. pour agents secrets. C'est un super jeu, vous allez voir.

Quand Jessi m'a dit qu'elles avaient joué aux A.S., j'ai poussé un grand soupir. J'avais espéré que mes frères et sœurs oublieraient ce jeu débile. Manifestement, non. C'était Jordan qui l'avait inventé. Il fallait espionner soit de vraies personnes soit des personnages imaginaires. Le chef des agents secrets – en général, Jordan lui-même – confiait des missions à ses agents. Des missions secrètes, bien sûr. Elles étaient faciles au début, puis elles devenaient de plus en plus dures. Quand un agent avait rempli avec succès sa mission, il recevait un badge de couleur. Il y avait dix couleurs en tout, correspondant à un degré de difficulté différent. Rose pour les missions les plus faciles et noir pour les plus difficiles, un peu comme au karaté, mais avec plus de couleurs. Quand on avait gagné les dix badges, on était élu meilleur agent secret.

Jessi s'est demandé qui les filles allaient bien pouvoir espionner, mais elle n'est pas intervenue dans leur jeu. Elle leur a juste demandé de ne pas faire de bêtises comme d'aller espionner aux fenêtres des voisins, et elle les a laissées tranquilles. Puis, elle s'est occupée de P'tit Bout qui ne demandait qu'à descendre de sa chaise.

– Alors, mon chou. A quoi tu as envie de jouer, toi, aujourd'hui ?

P'tit Bout ne sait pas encore parler, mais il comprend très bien ce qu'on lui dit, et sait parfaitement se faire comprendre. Il a pris Jessi par la main et l'a entraînée dans le couloir pour se planter au pied des escaliers.

– Tu veux grimper jusqu'en haut, c'est ça ?

– Haut.

Il s'est jeté sur la première marche et a commencé son ascension laborieuse. Il montait marche par marche, en se hissant comme il le pouvait. Jessica s'est dit qu'il risquait de mettre des heures pour arriver à l'étage. Une fois en haut, il s'est aussitôt retourné et a lancé à sa sœur :

– Bas !

Marche après marche, Jessica le suivait patiemment en marche arrière. Une fois en bas, il a dit d'un air décidé :

– Haut !

« Oh, là, là... je ne m'en sortirai jamais », a pensé Jessica.

Elle était arrivée à la moitié de l'escalier quand un bruit a attiré son attention derrière elle. Tout en tenant P'tit Bout par les mains, elle a jeté un coup d'œil par-dessus son épaule. Rien. Retour à l'escalade des marches.

Un nouveau bruit.

Elle s'est retournée. Cette fois-ci, elle a aperçu un truc rouge qui disparaissait derrière une porte et s'est rappelé que Charlotte portait un pull rouge ce jour-là.

– Ha ! ha ! s'est-elle exclamée en faisant semblant de s'adresser à P'tit Bout. Tu sais quoi ? Je crois qu'on est en train de nous espionner. Il y a un agent secret en mission dans les parages.

– Bas ! a dit le bébé en guise de réponse.

Jessi et P'tit Bout ont fait demi-tour dans les escaliers. Elle a alors aperçu sa petite sœur disparaître elle aussi derrière une porte.

Vingt longues minutes plus tard, P'tit Bout en a enfin eu assez de monter et descendre les escaliers. Jessica l'a alors emmené regarder un dessin animé. Il y avait les Télétubbies à la télévision. Elle a fait semblant de ne pas remarquer Vanessa accroupie derrière la porte en train de griffonner des notes dans un petit carnet.

Jessica était certaine que les filles – il fallait avouer néanmoins qu'elles avaient été plutôt discrètes – les avaient espionnés, elle et P'tit Bout. Elle en a eu la confirmation à cinq heures alors que Vanessa et Charlotte allaient rentrer chez elles.

– Moi, j'ai gagné un badge bleu, a annoncé fièrement Charlotte. J'ai rempli trois missions secrètes.

– Et moi, quatre, a dit Becca. J'ai un badge vert.

– Où sont vos badges ? a demandé Jessica.

– C'est Jordan qui doit les faire, a expliqué très sérieusement Vanessa. C'est lui le meilleur agent.

Charlotte est partie. Vanessa est restée quelques minutes de plus, elle voulait remercier Jessi et Becca :

– Merci de m'avoir invitée. Ça m'a fait très plaisir.

Je savais exactement ce que ma sœur pensait à ce moment-là. Elle était soulagée de voir qu'elle avait encore des amies.

Jessica m'a dit qu'elle n'avait jamais vu Vanessa aussi gaie que quand elle est partie à vélo. Et moi, je peux vous dire qu'elle sautillait littéralement de joie quand elle est rentrée.

Au moment où elle a ouvert la porte d'entrée, le téléphone s'est mis à sonner. Papa a répondu. Ces derniers temps, il se précipite sur le téléphone chaque fois qu'il sonne.

– Allô. C'est lui-même... Bonjour, monsieur, oui... oui... Vraiment ?... Mardi ? Bien sûr... D'accord. Merci. Au revoir.

– C'était qui, papa ? ai-je demandé, intriguée.

– Rien d'autre que le vice-président de Metro-Works ! Il veut me rencontrer mardi pour un entretien. Il a dit qu'il avait bien reçu mon CV et qu'il était intéressé. Il a même appelé mon ancien patron qui lui a dit beaucoup de bien de moi.

– Mais, papa, c'est génial !

Je me suis jetée dans ses bras tellement j'étais contente. Il m'a fait un grand sourire et m'a dit :

– Attention, il ne faut pas crier victoire tout de suite. Ce n'est pas gagné d'avance, tu sais. C'est juste un entretien.

– Tu as raison, papa. Je croise les doigts.

J'ai tout de suite appelé Jessica pour lui annoncer la bonne nouvelle :

– Papa a un entretien pour un travail ! Il a rendez-vous mardi.

– C'est génial !

Mais il ne faut pas crier victoire tout de suite…

Papa avait raison, mais j'étais tellement contente, que j'aurais voulu fêter la victoire sans attendre.

“Mes frères et sœurs et moi, nous nous sommes regardés, inquiets.
– C’est papa qui a cuisiné ?
– Oui, je vous ai mitonné un bon petit plat : des épinards et du foie.”

14

L’entretien de papa était prévu pour mardi. Je crois qu’on avait tous autant le trac que lui. Un peu comme s’il devait passer un concours hyper prestigieux. On était tous survoltés.

Quand le grand jour est arrivé, je n’ai pas réussi à penser à quoi que se soit d’autre de toute la journée, même en cours. Dès que la dernière sonnerie a retenti, je me suis précipitée à la maison. Je n’ai même pas attendu Jessica pour faire une partie du chemin avec elle, comme d’habitude. J’ai gardé les doigts croisés pendant tout le trajet. Je m’étais persuadée que, si je le faisais, j’aurais une bonne nouvelle en rentrant.

J’ai ouvert la porte d’entrée et j’ai laissé tomber en vrac toutes mes affaires. Pas le temps de les ranger.

– Papa ! Papa ?

J'ai aussitôt aperçu sa tête dans l'encadrement de la porte de la cuisine.

– Mallory, c'est toi ?

Je me suis ruée sur lui.

– Alors ? Tu l'as eu ?

Je retenais ma respiration en attendant sa réponse. Je croisais les doigts à m'en faire mal.

– Tu veux parler du poste ?

– Ben oui, de quoi tu veux que je parle ?

– Je ne sais pas encore, ma chérie.

– Quoi ? ! Comment ça, tu ne sais pas encore ? Mais quand est-ce que tu auras la réponse ?

– Aucune idée. Je dois y retourner jeudi pour passer un autre entretien.

– Ah, ben d'accord ! On n'a pas fini !

Papa m'a souri. Il avait l'air amusé de me voir complètement déconfite.

– Quoi ? Tu en as assez de devoir manger l'abominable cuisine de ton père ?

Je lui ai rendu son sourire.

– Je vois que tu prends bien les choses, c'est déjà ça !

Deux jours après, papa est retourné à MetroWorks pour son deuxième entretien. J'ai encore passé la journée à me ronger les ongles. Je me suis, bien évidemment, précipitée à la maison dès la fin des cours. Mais cette fois-ci, j'ai demandé d'entrée :

– Alors, tu commences quand ?

Papa était dans la cuisine avec Claire et lui

préparait un goûter. Il a levé les yeux vers moi et m'a fait un petit sourire contrit.

– Peut-être après le troisième entretien, qui sait ? a-t-il soupiré.

– Un troisième entretien? Mais c'est du délire ! Il est prévu quand ?

– Demain.

– Papa, pourquoi dois-tu passer tous ces entretiens ? C'est bon signe ou pas ?

– C'est plutôt bon signe, ma chérie. Ça veut dire qu'ils pensent que je pourrais faire l'affaire. Si je dois passer autant d'entretiens, c'est pour rencontrer tous les gens importants de la société.

– Et pourquoi tu ne les as pas tous vus d'un coup ? Ça serait quand même plus simple, non ? Même pour eux. Ils perdraient moins de temps et ils ne joueraient pas avec nos nerfs, comme ça.

– Peut-être qu'ils aiment bien torturer un peu leurs futurs employés ? a dit papa en rigolant.

– Tu es sûr de vouloir travailler pour des gens qui torturent leurs employés ?

Papa a souri et m'a dit plus sérieusement :

– *Ne mords pas la main qui te nourrit* !

J'ai dû appeler Kristy pour lui demander ce que mon père avait bien voulu dire. C'était elle la mieux placée pour m'expliquer ça. Comme Jim (son beau-père) adore les vieux proverbes, elle les connaît tous aussi, à force. *Ne mords pas la main qui te nourrit* veut dire que quand tu as vraiment besoin de quelque chose, il vaut mieux éviter de critiquer les gens qui peuvent te le donner. « Bon, me suis-je dit, attendons de voir comment va se passer le troisième entretien. »

Le lendemain, je n'ai pas pu rentrer chez moi tout de suite après les cours. Je devais, comme tous les vendredis, faire du baby-sitting chez les Delaney, puis aller à la réunion du club. Mais j'ai quitté la chambre de Claudia à six heures pile. J'ai foncé chez moi à toute allure. En moins de sept minutes, j'étais à la maison. Record battu. Jamais je n'avais été aussi rapide. A la seconde même où je suis rentrée, j'ai senti que c'était dans la poche. Toute la famille était réunie dans le salon. Il ne manquait que moi. Ils ont accueilli mon entrée avec un grand sourire.

J'ai croisé les doigts (on ne sait jamais), et j'ai demandé :

– Tu l'as eu, hein, papa ?

Il m'a fait oui de la tête.

Je me suis jetée dans ses bras en criant. L'instant d'après, tout le monde s'embrassait. Claire sautillait comme une folle.

– Hourra ! Je vais avoir ma Barbie !

Une fois le calme revenu, je me suis assise à côté de papa et je lui ai demandé de me raconter comment ça s'était passé.

– Eh bien, a-t-il commencé. Je suis engagé comme avocat pour la Metro-Works. C'est un peu le même travail que j'avais avant, même si le poste est moins important. Le salaire est plus bas aussi, mais j'ai de bonnes chances d'avoir une promotion au bout d'un an. En attendant, maman devra continuer de travailler à mi-temps. On verra plus tard comment s'arranger pour les baby-sittings.

– Maintenant, a enchaîné maman, on va fêter la bonne nouvelle. Papa nous a préparé… un vrai festin !

Mes frères et sœurs et moi, nous nous sommes regardés, inquiets.

– C'est papa qui a cuisiné ? a demandé Adam.

– Hé ! Je ne me défends pas si mal en cuisine, maintenant ! a-t-il dit. Je vous ai mitonné un bon petit plat : des choux de Bruxelles, des épinards et du foie.

– Oh, beurk ! s'est écrié Adam.

– Adam ! l'a grondé maman.

– Bon, dis-nous ce que tu nous as fait, en réalité, a demandé Nicky.

– Hamburgers, pommes de terre au four et salade verte, a annoncé alors papa.

– Je crois même qu'il y a une surprise pour le dessert, a ajouté maman d'un air mystérieux.

– Ah ! Je préfère ça ! s'est écrié Jordan.

On a mis la table dans le salon, comme pour les grandes occasions. Même si on n'allait manger que des hamburgers, maman a sorti le beau service en porcelaine, les couverts en argent, et la belle nappe blanche de Noël. Une fois le dîner servi, Byron a demandé :

– Papa ? Quand est-ce que tu commences ton nouveau travail ?

– Pas ce lundi, mais le prochain. J'ai un peu plus d'une semaine pour profiter encore de la maison. Et maintenant que j'ai trouvé un travail, je vais pouvoir me détendre et me reposer un peu.

– Ouais, ça te fera du bien, ai-je ajouté. Tu sais, on s'inquiétait tous pour toi.

– On s'inquiétait pour plein d'autres choses aussi, est intervenue Vanessa. C'est pour ça que Mallory a créé le club des Pike, pas vrai, Mallory ?

– Oui.

J'ai dû expliquer à mes parents ce qu'était le club des Pike. (Entre nous, mes frères, mes sœurs et moi avions décidé de continuer à nous réunir de temps en temps, même si la crise était passée.)

– Qu'est-ce qui vous inquiétait ? a voulu savoir maman.

– On s'inquiétait pour l'argent, a expliqué Margot. On avait peur de perdre la maison.

– De perdre la maison ! s'est exclamé papa.

– Ben oui, a dit Claire. A cause du réduit.

– Elle veut dire « crédit », a corrigé Jordan. Mallory nous a expliqué qu'on devait de l'argent à la banque tous les mois pour payer la maison.

– Et que si on ne payait plus, la banque nous reprendrait la maison, a enchaîné Margot.

– C'est vrai, a confirmé papa. Et je crois que c'est comme ça que certains se retrouvent à la rue. Mais nous n'aurions pas eu ce problème parce que mon ancienne société m'a dédommagé pour la perte de mon emploi. En fait, quand une entreprise licencie des employés, elle est obligée de leur verser un dédommagement.

Les triplés m'ont lancé un regard noir.

– Ben, je ne savais pas ça, moi, leur ai-je dit en guise d'excuse.

– On a dû faire tout ça à cause de toi ! s'est exclamé Jordan.

– Je ne vous ai pas forcés à faire quoi que ce soit. Vous étiez d'accord.

Maman est intervenue pour couper court à notre dispute :

– Je veux que vous sachiez que votre père et moi, nous sommes fiers de vous. Vous vous en êtes très bien sortis.

– Merci, ai-je dit. Ça n'a pas toujours été facile.

– Je sais. Vous avez travaillé dur pour gagner de l'argent.

– Ce n'est pas ce qui a été le plus dur. On a aussi eu des problèmes à l'école.

– Ouais, a renchéri Adam.

– Quels problèmes ? s'est étonné papa. Vous n'avez pourtant pas eu de mauvaises notes.

– Pas ce genre de problèmes-là, a expliqué Vanessa. On voulait dire des problèmes avec les autres à l'école. Ils… euh…

– Ils ont été méchants, a complété Claire.

– C'est vrai ?

– Ouais ! Ils se moquaient de nous parce qu'on n'avait pas d'argent pour payer les sorties scolaires ou pour nous acheter de quoi manger à la cafétéria, a expliqué Byron.

– Certains sont même allés plus loin, ai-je renchéri.

Je leur ai raconté toute l'histoire avec Nathalie, Janet, Rachel et Valérie. Papa et maman m'ont écoutée attentivement. Maman était surprise.

– Rachel et Valérie ? Mais je croyais qu'elles…

– Je sais, je sais. Tu pensais que c'était mes amies. Moi aussi. Mais je me suis rendu compte que pas du tout. Et j'ai compris plein d'autres choses.

– Humm, peut-être que je devrais perdre mon travail plus souvent ! m'a taquinée papa.

– Ah non ! s'est écriée Claire.

Il y a eu un silence. Puis maman a dit :

– Vous êtes pleins de ressources, les enfants.

– On est pleins de quoi ? a demandé Margot.

– Pleins de ressources. Ça veut dire que vous avez eu beaucoup de bonnes idées pour gagner de l'argent.

J'ai poussé un grand soupir.

– Je ne pense pas avoir été particulièrement brillante. Je me suis contentée de faire du baby-sitting, ce que je faisais déjà avant. La seule différence, c'est que je vous ai donné ce que j'ai gagné.

– Moi, je pense que nous, on a vraiment été pleins de ressources, a annoncé fièrement Jordan en parlant au nom des triplés.

– C'est vrai ! On a eu des tas d'appels pour l'agence ABJ, s'est vanté Adam.

– On a promené des chiens, on a tondu des

pelouses, et on a même repeint les chaises de jardin de la maman de Carla, a expliqué Byron.

– On va continuer à faire tourner l'agence, a ajouté Jordan.

– Et moi, a dit à son tour Nicky, je vais continuer à distribuer les journaux.

– Je n'arrive toujours pas à croire qu'il ait été embauché, a murmuré Adam.

J'étais assise à côté de lui, et j'en ai profité pour lui donner un coup de coude sous la table. Il était un peu vexé de voir que Nicky, qui avait deux ans de moins que lui, avait réussi à se trouver du travail tout seul, comme un grand. En plus, il gagnait plus d'argent qu'eux trois avec leur agence. D'habitude, les triplés prennent Nicky un peu de haut, et ils se moquent toujours de lui. Mais là, leur petit frère leur avait donné une bonne leçon, sans même le vouloir.

– Et le stand CM aussi, c'était une bonne idée, hein oui ? a demandé Claire.

– Très bonne, l'a rassurée maman.

– On a seulement gagné onze dollars et soixante cents, pourtant. Ce n'est pas beaucoup. On a vendu de la limonade et des brownies, mais on n'a pas eu beaucoup de clients.

– Vous vous êtes donné beaucoup de mal, a dit papa. C'est ça qui compte.

– Vanessa, a dit maman, tu es bien silencieuse. As-tu vraiment gagné autant d'argent en vendant tes poèmes ? Si c'est le cas, j'aimerais bien voir les magazines qui t'ont publiée.

Elle est devenue rouge tomate. Elle était persuadée que personne n'était au courant pour Miss Vanessa, même pas les triplés, Nicky, Margot et Claire, qui sont pourtant dans la même école qu'elle.

– Eh bien... hum..., a-t-elle bafouillé. Je... j'ai...

On l'a tous regardée d'un air intrigué.

– C'est-à-dire que je n'ai pas vraiment publié mes poèmes.

– Ah bon ? s'est étonnée maman.

- Non. J'ai...

Comme je savais tout à propos de Miss Vanessa, et qu'elle avait l'air de s'empêtrer dans ses explications, j'ai tout raconté à sa place. J'ai essayé de mettre en valeur son talent et son ingéniosité, mais tout le monde était mort de rire.

Même papa et maman n'ont pas pu s'empêcher de sourire.

– Quelle bonne idée ! s'est exclamée maman.

– Je n'y aurais pas pensé... Bravo ! a ajouté papa.

– Peut-être que Vanessa tiendra un salon de coiffure quand elle sera grande ! a dit Adam en gloussant.

Je lui ai redonné un coup de coude sous la table. Il a compris qu'il fallait arrêter de se moquer de Vanessa.

Le repas a été délicieux. Quand on a eu fini nos assiettes, maman a annoncé joyeusement :

– C'est l'heure du dessert !

– Youpi ! s'est exclamé Nicky.

– J'espère que c'est quelque chose de bon ! ai-je dit en me léchant les babines.

– Je crois que tu ne vas pas être déçue, m'a dit maman.

Elle est partie dans la cuisine, et en est revenue en apportant un énorme gâteau. C'était un gâteau qui venait de la pâtisserie. Il était nappé de chocolat et il y avait écrit dessus « Félicitations » en pâte d'amande. Il avait l'air délicieux ! On n'en a pas laissé une miette (ce n'est pas dur quand on est dix !).

Une fois que la table a été débarrassée et la cuisine nettoyée, maman nous a dit :

– La fête n'est pas finie ! Et si on regardait les films et les vidéos de la famille ?

– Est-ce qu'on peut faire du pop-corn ? a demandé Claire.

– Bien sûr, on va en préparer.

On s'est tous rassemblés dans la salle de jeux, avec du pop-corn dans un grand saladier et une carafe de limonade. On s'est installé confortablement pendant que papa préparait le projecteur. On a d'abord regardé le film du mariage de nos parents. Maman avait une jolie robe blanche et papa n'avait pas l'air super à l'aise dans son costume noir. Puis on les a vus devant leur première maison, puis à côté de leur première voiture.

– Oh, le vieux tas de ferraille ! a commenté Jordan.

Puis, on m'a vue marcher à quatre pattes, les

triplés en train de manger assis en rang d'oignons, et Vanessa qui peignait avec les doigts. Il y a même eu un film où on faisait tous un défilé de mode à la maison ! On a beaucoup ri en se revoyant imiter la démarche des mannequins. Après ça, on a rangé le projecteur, et on a regardé des vidéos. Il y avait Nicky, Margot et Claire déguisés en lapins pour Pâques, un lendemain de Noël où tout le monde ouvrait ses cadeaux, et plein d'autres souvenirs encore.

Quand je suis allée me coucher ce soir-là, je ne m'étais pas sentie aussi détendue depuis longtemps. Je me suis endormie aussitôt.

“ – Beurk ! l’a coupée Kristy. On m’a arrosée de… c’est visqueux, en tout cas. Beurk !
Elle avait une grosse tache verte et gluante sur son tee-shirt. ”

15

– C’est la fête ! ! ! a lancé Lucy.

J’ai sauté de joie. On était samedi soir, et Lucy, Carla, et Mary Anne étaient devant chez moi. C’était la première fois que toutes mes amies du Club des baby-sitters passaient une nuit chez moi. On avait déjà fait plein de soirées pyjamas chez Kristy et les autres, mais jamais encore chez Jessica ou chez moi. J’espérais que tout allait bien se passer. J’étais tout excitée.

Je les ai invitées à entrer.

– Venez, on va s’installer dans la salle de jeu. Ma chambre est trop petite pour qu’on y tienne toutes. On sera mieux dans la salle de jeu.

On a commencé à dérouler nos sacs de couchage. Chacune avait apporté le sien. Et on a attendu que les autres arrivent. Kristy, Jessica et Claudia n'ont pas tardé. A six heures et demie, on était toutes les sept assises sur nos sacs de couchage.

– Qu'est-ce qu'on va manger ? Je meurs de faim ! s'est exclamée Claudia.

– Mon père va rapporter des plats tout prêts en rentrant du travail.

– Cool ! a dit Lucy en sortant une trousse à maquillage de son sac. Comment ça se passe à son nouveau travail ?

– Bien. Il nous a dit que ses collègues étaient sympa et que tout se passait bien. Ce n'est pas tout à fait le même travail qu'avant, mais il aime bien ce qu'il fait.

– Au moins, il a un emploi, m'a rappelé Jessica.

– Ouais, et c'est le principal. Maintenant, maman ne travaille plus qu'un jour ou deux par semaine.

– Au fait, a commencé Mary Anne, est-ce que… ?

– Beurk ! l'a coupée Kristy. On m'a arrosée de… c'est visqueux, en tout cas. Beurk !

Elle avait une grosse tache verte et gluante sur son tee-shirt.

– Adam ! ai-je crié.

Aucune réponse.

Je me suis tournée vers Kristy.

– Ne t'inquiète pas. Ça doit juste être un peu de shampooing. Ça partira au lavage, et je ne pense pas que ça laisse de trace.

– Qu'est-ce qui s'est passé ? J'ai entendu une espèce de pouic-pouic, et voilà !

– C'est Adam qui s'amuse avec son pistolet à eau. Il a dû le remplir de shampooing.

Mes amies se sont mises à rire, mais je ne le prenais pas aussi bien qu'elles. Je ne voulais pas que les triplés gâchent ma soirée avec leurs bêtises.

– Adam ! Byron ! Jordan ! ai-je hurlé.

– C'était peut-être Nicky, a suggéré Carla.

– Non, je suis presque certaine que c'était Adam. Hé ! Adam ! Si tu...

Pouic pouic.

– Beurk ! Il m'a eue cette fois. J'en ai plein les cheveux ! a gémi Claudia.

– Ça suffit comme ça, ai-je décidé.

Je me suis levée et j'ai emmené Claudia et Kristy dans la salle de bains. J'étais sur le point de monter voir Adam et de le gronder, quand la porte d'entrée s'est ouverte. C'était papa qui rentrait avec... le dîner !

– Ouais ! A manger ! s'est écriée Claudia.

Papa a salué mes amies et il nous a montré ce qu'il avait rapporté avant même d'enlever son manteau. Je lui ai dit qu'Adam nous embêtait avec son pistolet à shampooing, et il m'a promis de s'en occuper. A sa voix, je me suis dit qu'il n'allait certainement pas recommencer !

On a pris les sandwichs, les pizzas et les sodas, et on est reparties s'installer dans la salle de jeu. Pendant qu'on dînait, Kristy nous a raconté sa journée de baby-sitting avec Amanda et Max Delaney.

– Ils vont bien ? ai-je demandé.

Cela faisait plus d'une semaine que mon mois de baby-sitting chez eux était fini. Je ne les avais pas revus depuis.

– Ouais, super.

– Encore des problèmes avec la piscine ?

Kristy a souri.

– Non. Finis les problèmes avec la piscine. Amanda avait invité Karen et Max avait invité Huck. Ils avaient amené leurs maillots mais, quand ils ont vu qu'Amanda et Max n'avaient pas l'intention de se baigner, ils n'ont rien dit. Ils ont joué à autre chose.

– Est-ce que d'autres enfants sont venus sans avoir été invités ?

– Non. Je crois que le règlement de la piscine a subi quelques changements.

– En tout cas, Amanda et Max se sont rendu compte qu'ils ne pouvaient pas s'acheter des amis.

J'ai fait une pause. Puis j'ai ajouté :

– Vous ne devinerez jamais ce qui m'est arrivé cet après-midi !

– Quoi ? Raconte-nous, m'ont suppliée les filles en chœur.

– Rachel m'a appelée.

– Rachel ? s'est étonnée Jessica. Cette petite peste ?

– Ouais, et tu sais quoi ? Elle savait qu'on faisait une soirée pyjamas, et sans vraiment me le demander, elle a essayé de se faire inviter. Je crois que Valérie était avec elle, parce que je l'ai entendue parler tout bas à quelqu'un. Elle couvrait le combiné avec sa main, mais j'ai bien compris qu'elle n'était pas seule.

– Qu'est-ce que tu lui as dit ? a voulu savoir Lucy.

– Je lui ai bien fait comprendre que je n'invitais à cette soirée que mes vraies amies. Elle a essayé de me passer de la pommade, en me disant qu'elle était désolée et que tout ça, c'était du passé maintenant. Alors je lui ai demandé si elle disait ça parce que mon père avait retrouvé du travail. Ça lui a cloué le bec. Elle ne savait plus quoi dire. Je lui ai conseillé d'appeler ses « amies » Nathalie et Janet. Et j'ai raccroché. Je lui ai carrément raccroché au…

– Hé ! m'a coupée Kristy. J'ai une idée. Et si on faisait des blagues au téléphone à Nathalie et Janet ? Elles ont bien mérité qu'on se moque un peu d'elles.

– D'accord, ai-je dit en pouffant de rire. On n'a qu'à faire la blague des messages.

– Ouais ! s'est écriée Kristy. Et puis on fera aussi celle de la ferme aux cochons.

– De la ferme aux cochons ?

– Vous verrez, vous allez comprendre tout de suite, a répondu énigmatiquement Mary Anne.

Quand on a eu fini de manger, et de tout nettoyer, on est allées dans la cuisine pour passer les coups de téléphone.

– Par qui on commence ? a demandé Carla. Et qui commence ?

– On s'occupe d'abord de Nathalie, a répondu Kristy sans hésiter. Elle est pire que Janet, et la blague des messages va vraiment la rendre folle. Mallory ne doit surtout pas faire le premier appel. Il faut plutôt qu'elle le fasse en dernier, ça sera plus drôle.

– C'est moi qui vais commencer alors, a décidé Jessica en s'emparant du téléphone.

Grand silence pendant qu'elle composait le numéro. Elle nous a fait un signe de la main pour nous dire que Nathalie venait de décrocher, et elle a demandé :

– Allô, est-ce que Sissy est là ?

Pause. Puis d'un air innocent :

– Non ? Elle n'est pas là ? Il n'y a pas de Sissy ?

Elle a raccroché. Nous avons toutes éclaté de rire.

Puis, ça a été le tour de Kristy, Lucy, Mary Anne, Claudia, et Carla de l'appeler et de demander à parler à Sissy. Ça nous a bien pris une demi-heure ! Carla nous a dit que Nathalie avait l'air particulièrement agacée après son appel. Bien. C'était à moi maintenant de passer le dernier appel. J'ai pris le combiné et j'ai appuyé sur la touche « bis ».

– Qu'est-ce qu'il y a encore ? ai-je entendu à l'autre bout du fil.

– C'est Sissy, ai-je répondu. Il y a eu des messages pour moi ?

– Mallory Pike ! s'est exclamée Nathalie. C'est bien toi, Mallory ?

– Non, c'est Sissy.

Puis j'ai raccroché. J'étais morte de rire. Et je n'étais pas la seule !

Ensuite, Kristy a dit :

– Bon, maintenant, c'est au tour de Janet. Qui est-ce qui va faire le coup de la ferme aux cochons ?

A la grande surprise de tous, c'est Mary Anne qui s'est proposées

– Moi. Et je vais imiter l'accent du Sud de Logan. Ça sera encore plus drôle.

Je ne connaissais pas le numéro de Janet, alors on a dû le chercher dans l'annuaire. Dès qu'on l'a eu trouvé, Mary Anne a pris le téléphone d'un air théâtral et a attendu qu'on se taise. Visiblement, ce n'était pas Janet qui avait décroché. Mary Anne a demandé de sa voix normale :

– Bonjour, est-ce que je pourrais parler à Janet, s'il vous plaît ?

Elle a attendu un peu, en nous faisant un signe de tête pour nous faire comprendre que tout se déroulait bien. Puis, elle a pris son accent du sud :

– Bonjour. Mam'zelle O'Neal ? Je suis mam'zelle Patterson de la ferme porcine d'Atlanta. Les deux cents porcelets que vous avez commandés sont prêts. Par quelle voie voulez-vous qu'on vous les fasse parvenir ? Par train ou par bateau ?

Janet a dû répondre quelque chose comme :

« Je ne vois pas de quoi vous parlez. Je n'ai jamais commandé de porcelets. »

Mary Anne, qui habituellement ne sait pas mentir, s'est révélée très bonne comédienne. Elle a pris une voix tremblante et a insisté :

– Mais si, j'ai le bon de commande sous les yeux. Deux cents porcelets à l'attention de mam'zelle O'Neal, à Stonebrook, dans le Connecticut.

On n'a pas su ce que Janet pouvait bien répondre, mais Mary Anne lui a tenu la jambe avec son histoire de porcelets pendant dix bonnes minutes. Elle s'est amusée à faire semblant d'être vraiment très ennuyée par l'annulation de la commande, prétendant que son patron allait la mettre à la porte parce qu'elle allait faire perdre à la ferme les deux mille dollars que lui devait Janet. Elle a fini par pleurer en disant qu'elle allait se faire disputer par son patron et qu'elle était sûre maintenant de perdre son travail. Mary Anne a été vraiment épatante ! On était toutes pliées de rire. On riait tellement qu'on a dû quitter la cuisine pour que Janet ne nous entende pas.

– Bien ! ai-je dit quand Mary Anne a eu raccroché. Je crois qu'on s'est bien vengées de ces petites pestes.

On est retournées dans le salon.

– Tout le monde en pyjama ! a lancé Lucy.

– Non, si on faisait une descente dans le frigo plutôt ? a proposé Claudia.

– Mais on vient juste de manger ! a fait remarquer Jessica.

J'étais en train de me dire que j'avais bien envie de rappeler Nathalie pour lui redemander si elle avait reçu des messages pour Sissy, quand papa est venu nous voir. Il avait le pistolet à shampooing d'Adam dans les mains. Il me l'a tendu.

– Tiens, regarde un peu ce que j'ai trouvé dans la salle de bains, caché sous le lavabo. Je suis sûr que tu en feras un bon usage !

Il m'a adressé un clin d'œil complice, et il est reparti.

Je me suis tournée vers mes amies avec un grand sourire.

– Bien, bien. Je crois savoir ce qu'on peut faire avec cet engin…

– Ouais ! ont approuvé les filles.

On a fait une opération commando dans la chambre des triplés, et on les a bien eus ! Puis on est redescendues dans la salle de jeu, sans oublier de vider le frigo au passage. On s'est installées dans nos duvets, avec de quoi grignoter à portée de main, et on a papoté toute la nuit.

J'ai passé la plus chouette soirée pyjama de toute ma vie.

A propos de l'auteur

ANN M. MARTIN

Ann Matthews Martin est née le 12 août 1955. Elle a grandi à Princeton, aux États-Unis, avec ses parents et sa jeune sœur, Jane.

Elle a été enseignante, puis éditrice de livres pour enfants, avant de se consacrer à la littérature. Pour écrire, elle s'inspire d'expériences personnelles, mais aussi de sa connaissance du monde de l'enfance et de l'adolescence.

Tous ses personnages, même les membres du Club des baby-sitters, sont des personnages imaginaires (ainsi que la ville de Stonebrook). Mais beaucoup d'entre eux ressemblent à des gens qu'Ann Matthews Martin connaît.

Son livre préféré, dans la série le Club des baby-sitters, est *Un grand jour pour Kristy*. Kristy est aussi sa baby-sitter préférée. Ann M. Martin vit actuellement à New York et ses passe-temps favoris sont la lecture et la couture – elle aime particulièrement faire des habits pour les enfants.

Avez-vous lu les autres titres
de la série
LE CLUB DES **BABY-SITTERS** ?

Il existe plein d'autres aventures du Club des baby-sitters !

Le défi de Kristy

Le Club des baby-sitters n°32

Découvrez dès maintenant un extrait du premier chapitre...

« – Kristy ! Emily a recommencé !

– Quoi ? Qu'est-ce qu'elle a fait ? ai-je demandé.

David Michael, mon frère, hurlait depuis le salon où il était en train de regarder la télévision avec Emily, notre sœur. J'étais dans la cuisine pour leur préparer un goûter : un sandwich pour David Michael et un biberon de lait pour Emily.

– Elle a pris la télécommande et elle n'arrête pas de changer de chaîne. Et moi, j'ai envie de regarder *L'Homme-gorille*.

– Eh bien, tu n'as qu'à mettre la télécommande en hauteur. Comme ça, elle ne pourra pas l'attraper.

Je vissais la tétine sur le biberon quand j'ai entendu un cri perçant. C'était Emily. Quand on a l'habitude des enfants, comme moi, on apprend très vite à reconnaître les cris de chacun.

– Qu'est-ce qui ne va pas, maintenant ? ai-je demandé en entrant dans la pièce, le biberon dans une main et le sandwich dans l'autre.

Emily pleurait en sautillant sur place. En fait, elle ne sautait pas vraiment puisque ses pieds ne décollaient pas du sol. Elle pliait les genoux et les tendait à toute allure. Elle était rouge comme une tomate et hurlait sans s'arrêter :

– Wah-ah-ah-ah-ah-ah-ah !

David Michael avait l'air énervé.

– J'ai fait exactement ce que tu m'as dit. J'ai posé la télécommande là-dessus (il m'a montré du doigt une étagère), et Emily s'est mise à pleurer.

– Bon, ne t'inquiète pas, tu as bien fait. Tiens, voilà ton goûter, lui ai-je dit en lui tendant la moitié d'un sandwich. Mange ça pendant que je calme Emily.

J'ai vraiment une famille incroyable. J'adore faire du baby-sitting pour mes petits frères et sœurs (ils sont quatre en tout – je vais vous donner plus de détails dans une minute), mais parfois c'est un peu la panique. ”

Il existe plein d'autres aventures du Club des baby-sitters !

Une nouvelle sœur pour Carla

Le Club des baby-sitters n°31

Découvrez dès maintenant un extrait du premier chapitre…

“Le bouquet de mariage de maman voltigeait au-dessus de nos têtes. Mary Anne, ma nouvelle demi-sœur, et moi sautions en l'air pour essayer de l'attraper…

Et soudain, j'ai eu l'impression que les bras de Mary Anne s'allongeaient de quinze centimètres et, bien qu'elle ne soit pas très adroite, elle s'est emparée du bouquet.

Je n'en croyais pas mes yeux.

C'était le bouquet de ma mère. C'est moi qui aurais dû l'attraper. Bon, d'accord, j'exagère. Il n'y a pas de loi qui précise que le bouquet de sa mère doive revenir à sa propre fille. En plus, il y avait plein de monde derrière nous – d'autres filles qui le voulaient aussi – et nous étions à chances égales. Vous vous demandez sûrement pourquoi se battre pour un bouquet… Parce qu'on dit que celle qui l'attrape sera la prochaine à se marier. Mary Anne et moi, nous n'avons que treize ans et donc aucun projet de mariage, mais j'aurais quand même aimé avoir le bouquet de ma mère. Mais, si ça se trouve, Mary Anne en avait encore plus envie. Après tout, elle a un petit ami – Logan Rinaldi. Peut-être espère-t-elle qu'ils se marieront un jour, quand ils seront plus âgés…

En tout cas, Mary Anne brandissait triomphalement ce bouquet.

– Je l'ai eu, a-t-elle haleté.

Bon, d'accord. Mais elle nous avait presque toutes écrasées dans la manœuvre, alors, ce n'était pas étonnant !

Tout le monde riait et applaudissait.

– Bravo, Mary Anne ! a crié Kristy Parker, une de ses meilleures amies.

Je réfléchissais. Mary Anne est timide – extrêmement timide. Et c'est une des personnes les plus gentilles que je connaisse. C'est ma meilleure amie, et ma demi-sœur désormais, mais elle a un petit ami, et pas moi. Alors autant oublier cette histoire de bouquet. Je me suis tournée vers elle et je l'ai prise dans mes bras.

– Félicitations… p'tite sœur !

Mary Anne, qui est très sensible, a aussitôt fondu en larmes en hoquetant :

– P'tite sœur ! C'est réellement vrai. Nous sommes demi-sœurs maintenant.

– Non, sœurs tout court, ai-je corrigé.

Les larmes de Mary Anne coulaient de plus belle.

– Merci… p'tite sœur. ”

Loi n° 49-956 du 16 juillet 1949
sur les publications destinées à la jeunesse
ISBN 2-07-054530-**X**
Numéro d'édition : 98518
Dépôt légal : mars 2001
Numéro d'impression : 54839
Imprimé sur les presses de la Société Nouvelle Firmin-Didot